LES VINS
ET
VOTRE SIGNE
ASTROLOGIQUE

Véronique Dhuit

avec la collaboration de
Jean Aubry, spécialiste en vins
et Claudette Gagné, astrologue humaniste

LES VINS
ET
VOTRE SIGNE ASTROLOGIQUE

Les Éditions
LOGIQUES

Logiques est une maison d'édition reconnue par les organismes d'État responsables de la culture et des communications.

Nous remercions le Conseil des Arts du Canada, le ministère du Patrimoine canadien et la Société de développement des entreprises culturelles pour leur appui à notre programme de publication.

Révision linguistique: France Lafuste, Corinne de Vailly, Chantal Tellier
Conception et mise en pages: PageXpress
Graphisme de la couverture: Christian Campana
Illustrations: Guy Vidal

Distribution au Canada:
Logidisque inc., 1225, rue de Condé, Montréal (Québec) H3K 2E4
Téléphone : (514) 933-2225 • Télécopieur : (514) 933-2182

Distribution en France:
Librairie du Québec, 30, rue Gay Lussac, 75005 Paris
Téléphone: (33) 1 43 54 49 02 • Télécopieur: (33) 1 43 54 39 15

Distribution en Belgique:
Diffusion Vander, avenue des Volontaires, 321, B-1150 Bruxelles
Téléphone: (32-2) 762-9804 • Télécopieur: (32-2) 762-0662

Distribution en Suisse:
Diffusion Transat s.a., route des Jeunes, 4 ter C.P. 1210, 1211 Genève 26
Téléphone: (022) 342-7740 • Télécopieur: (022) 343-4646

Les Éditions LOGIQUES
1247, rue de Condé, Montréal (Québec) H3K 2E4
Téléphone: (514) 933-2225 • Télécopieur: (514) 933-3949

Les Éditions LOGIQUES / Bureau de Paris
Téléphone: (33) 3 44 22 63 64 • Télécopieur: (33) 3 44 22 45 52

Les vins et votre signe astrologique

© Les Éditions LOGIQUES inc., 1997
Dépôt légal: Quatrième trimestre 1997
Bibliothèque nationale du Québec
Bibliothèque nationale du Canada
ISBN 2-89381-514-6
LX-619

À Arthur

Sommaire

Avant-propos

Il suffit parfois de peu de chose pour qu'une idée insolite, lancée presque au hasard, tombe dans notre «puits magique» et en ressorte avec une âme bien à elle. C'est en quelque sorte le chemin qu'a suivi *Les vins et votre signe astrologique*. Le résultat? Un livre qui réunit de manière bien personnelle le monde du vin à celui de l'astrologie, une porte facile à ouvrir sur le merveilleux – mais encore très complexe – monde du vin... et surtout, une occasion originale d'alimenter la conversation entre amis et de mieux se connaître.

Ce mariage entre le vin et l'astrologie peut paraître surprenant. Pourtant, il existe bel et bien des ressemblances entre ces deux univers. Notre signe nous confère à la naissance non seulement un TEMPÉRAMENT de base, mais également des TRAITS DE CARACTÈRE bien personnels qui «nourrissent» notre PER-SONNALITÉ. Les vins n'échappent pas à cette règle de la nature. Leur cépage «de naissance» leur attribue d'office un tempérament et leur personnalité sera sculptée par le temps, l'environnement et l'homme. Après tout, pourquoi le *Sauvignon*, ce personnage expressif, nerveux, droit, parfois trop voyant, mais qui peut être aussi d'une grande finesse, ne cacherait-il pas un tempérament de Feu sous son signe du *Bélier*?

Il n'est donc pas question ici de faire des prévisions d'aucune sorte, ni de tracer aucun thème astral, mais simplement d'utiliser les traits caractéristiques de chacun des 12 signes du zodiaque pour leur faire correspondre les vins qui ont le même profil qu'eux. Et lorsque je parle de traits caractéristiques, j'entends par là l'aspect autant physique que psychologique qui distingue «naturellement» le *Lion* du *Capricorne* comme le *Pinot blanc* du *Chardonnay.*

Les vins et votre signe astrologique est à prendre comme la vie, comme un jeu. Je pourrais l'appeler le «jeu des personnages», un jeu d'affinités entre nous, les humains, et eux, les vins. Évidemment, les attractions naturelles existent et bien souvent, nous sommes attirés «naturellement» par ce qui nous ressemble. Mais libre à vous ici de découvrir si votre préférence va au vin qui est à votre image ou, au contraire, si vous préférez le vin pour lequel vous n'aviez peut-être pas spontanément d'atomes crochus, mais qui se révélera être une de vos plus belles rencontres. Vous verrez, on se prend rapidement au jeu!

Véronique Dhuit
Signe astrologique: Sagittaire
Cépage: Touriga Nacional
Vin: Porto

Un mot
sur les collaborateurs

J'aimerais remercier mes complices dans cette aventure; sans eux, ce livre n'aurait pu voir le jour. Laissez-moi vous les présenter.

Jean Aubry est pour moi (et pour bien d'autres) le poète du vin. Diplômé de l'Institut d'Œnologie de Bordeaux (D.U.A.D. France 1986), il communique sa passion du vin depuis plusieurs années aux lecteurs du journal *Le Devoir*, de l'*Actualité Médicale* et à ceux de la revue spécialisée *La Barrique*. Coauteur de *L'Abécédaire des vins, bières, cidres et spiritueux*, il effectue régulièrement des reportages viticoles partout à travers le monde et siège régulièrement dans des jurys internationaux. Formateur de personnel de restauration, il est aujourd'hui très apprécié pour ses conférences et animations sur son sujet de prédilection.

*Jean Aubry
est spécialiste en vins.*

Signe astrologique: Verseau
Cépage: Palomino
Vin: Xérès

Pour Jean Aubry, la fréquentation de «monseigneur le vin» doit être un privilège accessible au plus grand nombre, car il est amoureusement élaboré par l'homme, pour l'homme. Le vin est sans doute la seule nourriture issue du monde végétal qui sache au plus haut point entretenir la fraternité des hommes entre eux, et de l'homme avec lui-même. C'est d'ailleurs dans ce but qu'il a accepté de collaborer à ce projet. À celles et à ceux qui ne voient encore dans le vin qu'un mélange diffus d'extraits secs, de tanins, de gaz carbonique et de dérivés d'alcool, Jean Aubry se fait fort de répondre que le vin possède, à sa façon, le tempérament de son Créateur. La démarche entreprise avec ce livre lui a donc permis de circonscrire au plus près le «tempérament» propre d'un cépage donné et, par extension, de faire le pont entre les «personnages vins» et ceux des signes astrologiques avec lesquels ils entretiennent des correspondances naturelles. De quoi susciter bien des débats qui, l'espère-t-il, seront savoureux!

Peintre à ses heures, cette globe-trotteuse invétérée a sillonné la planète pendant trente ans (elle était à l'emploi d'une compagnie aérienne) tout en poursuivant inlassablement une démarche de connaissance de soi et des autres. C'est grâce à diverses expériences et

Claudette Gagné est astrologue humaniste.

Signe astrologique: Gémeaux
Cépage: Gamay
Vin: Beaujolais

études de psychologie, d'astrologie, de médecine énergétique et d'art qu'elle a développé une approche très particulière de l'astrologie. Claudette Gagné pratique et enseigne son art à Montréal et en Europe depuis plus d'une vingtaine d'années. Elle collabore au magazine *Elle Québec* depuis six ans. Ouverte, curieuse, elle continue de se questionner, d'élargir ses horizons afin de profiter pleinement du plaisir de vivre et d'aider les autres à le faire.

Ce projet l'a passionnée dès le départ, car il lui a procuré l'immense joie de faire un premier pont entre deux de ses passions: l'astrologie et le vin. Elle y voit une merveilleuse façon de relier la noblesse de la vigne à celle de l'humain. Pour elle, il n'existe pas de meilleur moyen de toucher l'âme d'un peuple qu'en goûtant ses vins et sa nourriture. Après tout, le vin «bien bu» ne scelle-t-il pas l'entente entre le ciel, les hommes et la terre?

Les signes de Feu, de Terre,
d'Air et d'Eau
et
leurs cépages

Les quatre éléments

Le feu, la terre, l'air et l'eau sont le fondement de la vie, de la nature et de l'astrologie. Issus des mêmes forces venant tout droit du cosmos, nous entretenons, depuis la nuit des temps, une relation très étroite avec le règne végétal, et en particulier avec la vigne, par le simple fait que nous sommes constitués de la même matière. Tout comme un bon terroir porte en lui l'empreinte équilibrée des quatre éléments pour accoucher du plus beau raisin, nous sommes composés de feu, de terre, d'air et d'eau, porteurs de leurs énergies invisibles, de leur force, qu'il nous faut apprivoiser de l'intérieur pour tendre vers l'équilibre. Comme pour la vigne, les quatre éléments déterminent comment identifier, canaliser et régénérer nos énergies. Car même si nous naissons avec un élément dominant – celui qui caractérise notre signe astrologique – nous sommes en étroite relation avec les trois autres tout au long de notre vie.

Le tempérament de base

L'élément de notre signe est le «carburant» dont nous avons besoin pour nous sentir vivre. C'est le «terrain» qui va définir la structure de notre signe et révéler la force intérieure fondamentale qui motive chacune de nos actions. Il va déterminer notre tempérament, comme le cépage celui du futur vin. Il est inné et dépend directement de facteurs biologiques et énergétiques. À chaque élément correspondent trois signes zodiacaux et chacun d'eux porte l'empreinte du tempérament de base de son élément: un tempérament de type Feu pour le Bélier, le Lion et le Sagittaire, un tempérament de type Terre pour le Taureau, la Vierge et le Capricorne, un tempérament de type Air pour le Gémeaux, la Balance et le Verseau et un tempérament de type Eau pour le Cancer, le Scorpion et le Poissons. Dans le même ordre d'idée, nous avons fait correspondre à chaque élément les cépages les plus populaires dans le monde et dont les traits de caractère de leur «tempérament de base» lui ressemblent le plus. Vous découvrirez ainsi que le tempérament de Feu du *Cabernet-Franc* ne peut en rien se confondre avec le tempérament d'Eau du beau *Merlot*, mais qu'à y regarder de plus près, on trouve des affinités naturelles entre le tempérament de Feu et celui de l'Air dans le joyeux *Gamay*. Le tempérament de base fait partie intégrante de notre nature la plus profonde.

Soit dit en passant, ne sous-évaluez pas la nécessité de «nourrir» régulièrement votre élément. Vous remarquerez qu'il est «déchargé» quand vous êtes plus irritable ou plus vulnérable physiquement et psychologiquement. Rechargez-le, car c'est son énergie primaire que vous épuisez constamment. Comment? En trouvant une activité qui corresponde à votre élément pour un effet bénéfique à long terme, en étant en relation avec les signes pour lesquels vous avez des affinités naturelles (voir le tableau p. 224) et, pourquoi pas, en dégustant les vins qui vous sont naturellement sympathiques.

Les cépages

 Cépages au Tempérament de type Feu
Équilibre cépages blancs et noirs

BÉLIER   LION   SAGITTAIRE

Cépages blancs:

ALVARINHO • BUAL • FURMINT • GEWURZTRAMINER • GRÜNER VELTINER • MALVOISIE • PALOMINO • PETIT & GROS MANSENG • RIESLING • ROUSSANE • SAUVIGNON • VERDICCHIO • VERMENTINO • VERNACCIA • VIURA

Cépages noirs:

BRUNELLO • CABERNET-FRANC • CABERNET-SAUVIGNON • CORVINA VERONESE • GRENACHE NOIR • LAMBRUSCO • NEBBIOLO • PETITE SYRAH • PETIT-VERDOT • SANGIOVESE • SYRAH • TOURIGA NACIONAL • ZINFANDEL

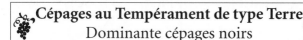 **Cépages au Tempérament de type Terre**
Dominante cépages noirs

TAUREAU   VIERGE   CAPRICORNE

Cépages blancs:

ARINTO • CHARDONNAY • GRENACHE BLANC • MÜLLER-THURGAU • MUSCAT • SAVAGNIN • SAVATIANO

Cépages noirs:

BARBERA • BRUNELLO • CABERNET-SAUVIGNON • CARIGNAN • CÔT • DOLCETTO • GRENACHE NOIR • MAVRODAPHNÉ • MONASTRELL • MONTEPULCIANO • MOURVÈDRE • PETITE SYRAH • TANNAT • TEMPRANILLO • TEROLDEGO • ZINFANDEL

Cépages au Tempérament de type Air
Dominante cépages blancs

GÉMEAUX   BALANCE   VERSEAU

Cépages blancs:

ALIGOTÉ • ALVARINHO • ASSYRTIKO • CHARDONNAY •
CORTESE • FIANO • GARGANEGA • MELON DE BOUR-
GOGNE • PALOMINO • RIESLING • SYLVANER • TOCAI
FRIULANO • VERDICCHIO

Cépages noirs:

DORNFELDER • GAMAY • LAMBRUSCO • NÉGRETTE •
PINOT NOIR • REFOSCO

Cépages au Tempérament de type Eau
Dominante cépages blancs

CANCER   SCORPION   POISSONS

Cépages blancs:

CHARDONNAY • CHASSELAS • CHENIN • GARGANEGA •
GRENACHE BLANC • MARSANNE • MAUZAC • MUSCAT
PINOT BLANC • PETIT & GROS MANSENG • PINOT GRIS •
SAVAGNIN • SÉMILLON • TREBBIANO • VIOGNIER

Cépages noirs:

CINSAUT • CORVINA • DOLCETTO • NERO D'AVOLA •
NIELLUCCIO • MERLOT • PINOTAGE • TEROLDEGO •
XYNOMAVRO

L'élément Feu
et ses cépages

Symbolisme du Feu

Élément actif et masculin.

Par ses flammes, le feu symbolise l'action fécon-
datrice, purificatrice et «illuminatrice». Il est le
moteur de la régénération périodique. Il symbolise la purification par la compréhension jusqu'à sa forme la plus spirituelle, par la lumière et
la vérité.

Les esprits divins du Feu

Les esprits du feu sont les *salamandres*; elles sont
toujours en mouvement. Nous les rencontrons
tous les jours lorsque nous craquons une allu-
mette ou lorsque le foyer de la cheminée
s'anime. Leur corps est fait de la flamme elle-
même. Mais c'est surtout sous terre qu'elles sont
actives, lorsqu'elles occasionnent explosions et
éruptions volcaniques.

Le Feu, la vigne et l'homme

Chez la vigne, le feu participe au développement
et au mûrissement des baies de raisin. Chez
l'homme, il se manifeste dans la chaleur de son
organisme, notamment dans les pulsations du
cœur et l'influx sanguin.

Parce que les *signes de Feu* vivent dans le domaine de l'*activité*, ils sont motivés par leurs inspirations et leurs aspirations propres. Les signes de Feu vaincront l'obstacle par une démonstration de force, sans aucun tact ni diplomatie, avec beaucoup d'intensité et d'impulsivité.

Pour nourrir leur élément, les *signes de Feu* devront s'impliquer avec d'autres personnes du même élément qui partagent les mêmes ambitions ou avec celles du signe d'Air, leur élément complémentaire naturel. L'activité physique leur sera également très profitable. Pour se régénérer, les signes de Feu devront vivre beaucoup à l'extérieur et bénéficier au maximum de la lumière du soleil.

Caractéristiques du tempérament Feu

Les trois signes de Feu sont le Bélier (physique), le Lion (émotions) et le Sagittaire (mental).

Mots clés de l'élément Feu:

CHAUD, SEC, LÉGER, ACTIF, MOBILE, RAPIDE, COLORÉ.

Profil des cépages au tempérament Feu

L'enracinement dans le temps semble être un trait commun aux très vieux cépages qui composent le profil de l'élément Feu, que l'on retrouve autant en cépages blancs qu'en cépages noirs. Ils n'ont que faire des modes: ils sont nés pour durer et vieillissent très longtemps. Pas toujours faciles d'accès, ils demandent à l'amateur qui les côtoie un certain temps d'apprentissage pour se familiariser avec leur tempérament unique, parfois rébarbatif au premier abord, mais toujours franc et entier. L'amateur qui persévère se voit récompensé tôt ou tard.

Cépages blancs de l'élément Feu

Légende:
CT = vieillissement à court terme (moins de 2 ans)
MT = vieillissement à moyen terme (entre 2 et 5 ans)
LT = vieillissement à long terme (5 ans et plus)

ALVARINHO (CT)
Léger, pointu, pétillant, simple et juvénile
saveur dominante: herbacée

BUAL (LT)
Versatile (sec ou doux), complexe, typique, racé et original
saveurs dominantes: fruitée, épicée, boisée, animale – figue, pruneau, note de pain d'épice, de résine, de datte

FURMINT (CT) à (LT)
Original, complexe, expressif, tonique et intrigant
saveurs dominantes: fruitée, épicée – fruits exotiques, miel

GEWURZTRAMINER (MT) à (LT)
Coloré, exhibitionniste, ample, frais et expressif
saveurs dominantes: florale, épicée, fruitée, balsamique – gingembre, litchi, eau de rose, orange

GRÜNER VELTLINER (CT)
Civilisé, typé, simple, franc et vivant
saveurs dominantes: épicée, fruitée – pomme,
fleurs blanches, citron vert

MALVOISIE (MT)
Noble, polyvalent, ample, original et traditionnel
saveurs dominantes: épicée, fruitée, florale

PALOMINO (CT) ou (LT)
Énigmatique, neutre, original, fier et pointu
saveurs dominantes: florale, minérale, fruitée –
noix, olive verte, camomille

PETIT & GROS MANSENG (CT) à (LT)
Original, intense, polyvalent, riche, complexe et
séducteur
saveurs dominantes: fruitée, épicée – miel, noix,
abricot sec, châtaigne, nèfle

RIESLING (LT)
Racé, fin, fier, vibrant et détaillé
saveurs dominantes: minérale, florale, fruitée

ROUSSANE (MT) à (LT)
Subtil, vivace, complexe, expressif, aristocrate et
fragile
saveurs dominantes: florale, fruitée, balsamique,
épicée – pomme mûre, miel, coing, noisette

SAUVIGNON (CT) à (MT)
Persistant, classique, direct, très expressif et structuré
saveurs dominantes: fruitée, herbacée, épicée, florale parfois minérale, parfois animale – lys blanc, orange, musc

VERDICCHIO (CT)
Mordant, sec, simple, léger et amer
saveur dominante: fruitée

VERMENTINO (MT)
Traditionnel, typé, complexe, ample et expressif
saveurs dominantes: fruitée, végétale, balsamique, épicée – fruits jaunes, résine

VERNACCIA (CT)
Direct, pointu, tendu, expressif et avec du caractère
saveurs dominantes: fruitée, florale, minérale – anis, citron, fruits secs, fleurs blanches

VIURA (CT)
Vigoureux, direct, rustique, simple et frais
saveurs dominantes: florale, fruitée – poire, pêche, mangue, abricot

Cépages noirs de l'élément Feu

Légende: voir page 27

BRUNELLO (LT)
Aristocrate, charnu, puissant, sensuel, profond et avec du panache
saveurs dominantes: fruitée, animale, boisée, végétale, épicée – cerise, cassis, mûre, poivre, parfums complexes de cuir, de tabac, d'encens

CABERNET-FRANC (MT)
Coloré, convivial, un brin rustique, frais et sans détour
saveurs dominantes: fruitée, herbacée, boisée

CABERNET-SAUVIGNON (LT)
Structuré, noble, frais, stylé et complexe
saveurs dominantes: fruitée, végétale, empyreumatique, boisée – mentholée, fumée, petits fruits noirs, cèdre, écorce

CORVINA VERONESE (MT)
Élégant, souple, mordant, souvent complexe et parfumé
saveurs dominantes: florale (pivoine, rose), fruitée (noyau de cerise)

GRENACHE NOIR (CT) à (MT)
Musclé, souple, simple, rustique et capiteux
saveurs dominantes: animale, fruitée, épicée, végé-
tale

LAMBRUSCO (CT)
Aimable, franc, expressif, nerveux et simple
saveurs dominantes: fruitée (très près du raisin),
florale – prune, cerise, violette

NEBBIOLO (LT)
Racé, tannique, astringent, profond et complexe
saveurs dominantes: florale, empyreumatique,
végétale – truffe, goudron, rose, fumée

PETITE SYRAH (LT)
Robuste, rustique, coloré, tannique et fonceur
saveurs dominantes: fruitée, végétale – mûre bien
mûre

PETIT-VERDOT (LT)
Racé, étoffé, coloré, déterminé et fin
saveurs dominantes: fruitée, végétale, boisée,
épicée – rose rouge, violette, muscade, girofle,
goudron végétal, petits fruits noirs

SANGIOVESE (MT) à (LT)
Nerveux, fin, racé, vivace, il a du piquant
saveurs dominantes: florale, fruitée, épicée –cerise
fraîche, écorce, rose, violette

SYRAH (MT) à (LT)
Énigmatique, aromatique, voluptueux, puissant
et vigoureux
saveurs dominantes: fruitée, florale, empyreuma-
tique – violette, prune, olive verte, poivre noir

TOURIGA NACIONAL (LT)
Noble, puissant, ardent, coloré et vigoureux
saveurs dominantes: fruitée, florale, épicée –
cerise au jus, épices, tabac

ZINFANDEL (CT) à (MT)
Direct, riche, puissant, capiteux et expressif
saveurs dominantes: fruitée, herbacée, florale –
canneberge, mûre, framboise bien mûre

L'élément Terre
et ses cépages

Symbolisme de la Terre

Élément passif, réceptif et féminin.

Lieu des origines et de l'aboutissement, la terre symbolise la fonction maternelle. Elle est fécondité, fertilité, régénération et nourriture. La terre s'oppose symboliquement au ciel. Elle polarise l'énergie céleste. Elle supporte et nourrit pendant que le ciel enveloppe. Elle est femme et mère (le ciel est père). La terre réclame aussi ses morts, dont elle se nourrit.

Les esprits divins de la Terre

Les *gnomes* (ceux qui vivent dans les antres de la terre) sont les esprits de la terre qui construisent et détruisent les formes terrestres. Ils agissent auprès des racines.

La Terre, la vigne et l'homme

Chez la vigne, la terre prédomine aux racines. C'est par elles qu'elle absorbe les substances dont elle se nourrit. L'homme est aussi en contact avec la terre par la plante des pieds (nos racines). Elle se manifeste chez l'homme par sa masse corporelle (notre terre), ses os, ses nerfs et sa rate. La vigne a naturellement la capacité de choisir son milieu de développement pour y déployer ses racines. Quand une vigne vit dans le sol qui lui convient, dont elle a génétiquement la mémoire, elle s'y développe parfaitement. Elle agit en fonction de ses besoins et de son environnement. L'homme devrait pouvoir suivre naturellement le même cheminement.

Parce que les *signes de Terre* sont enracinés dans le monde matériel, ils sont motivés par les besoins matériels. Face à un obstacle, ils absorberont lentement le choc provoqué avec beaucoup de bon sens.

Pour nourrir leur élément, les *signes de Terre* devront s'impliquer avec d'autres personnes du même élément qu'eux, ou avec celles du signe d'Eau, leur élément complémentaire naturel. Les signes de Terre doivent choisir des devoirs et des obligations matérielles afin de stimuler leur besoin de s'exprimer dans des réalisations con-crètes. Pour se régénérer, les signes de Terre éprouvent naturellement le besoin d'avoir les pieds dans la terre de temps à autre et de capter le pouvoir de croissance des arbres et des plantes.

Caractéristiques du tempérament Terre

Les trois signes de Terre sont le Taureau (physique), la Vierge (émotions) et le Capricorne (mental).

Mots clés de l'élément Terre:

FROIDE, SÈCHE, PESANTE, INERTE, SOMBRE, SOLIDE, NOURRICIÈRE.

Profil des cépages du tempérament Terre

Les cépages noirs sont ceux de la terre et offrent une très bonne capacité de vieillissement. Ils savent être présents, rassurants, mais sans choquer ni déranger. Ils savent aussi se faire aimer sans complication, souvent avec intensité, parfois avec complexité, mais toujours avec un égal bonheur. Ils ont le caractère souple, vivant et séducteur. Pas rancuniers pour deux sous, ils ne connaissent pas l'amertume... et vous aucune déception.

Cépages blancs de l'élément Terre

Légende:
CT = vieillissement à court terme (moins de 2 ans)
MT = vieillissement à moyen terme (entre 2 et 5 ans)
LT = vieillissement à long terme (5 ans et plus)

ARINTO (LT)
Traditionnel, rustique, capiteux, à la fois acide et sucré
saveurs dominantes: fruits secs – olives vertes

CHARDONNAY (CT) à (LT)
Noble, classique, adaptable, complexe et universel
saveurs dominantes: fruitée, florale, parfois minérale – fruits blancs et fruits jaunes

GRENACHE BLANC (CT)
Capiteux, vineux, riche, savoureux et ample
saveurs dominantes: fruitée, épicée

MÜLLER-THURGAU (CT)
Rond, généreux, facile, résistant et satisfaisant
saveurs dominantes: épicée, fruitée, herbacée

MUSCAT (CT)
Séduisant, simple, facilement identifiable, voluptueux, attachant et fin
saveurs dominantes: fruitée, florale – miel, pâtisserie, pain d'épice, raisin frais

SAVAGNIN (MT) à (LT)
Original, pas facile d'approche, nuancé, typique
et avec du caractère
saveurs dominantes: fruitée, épicée – pomme,
miel, noix

SAVATIANO (CT)
Traditionnel, rustique, enveloppant, saveurs
marquées et rondes
saveur dominante: balsamique

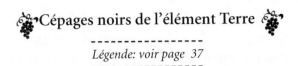

Cépages noirs de l'élément Terre

Légende: voir page 37

BARBERA (MT)
Vigoureux, rustique, anguleux, tannique et vivant
saveurs dominantes: fruitée, boisée, végétale – cerise noire, mûre, prune

BRUNELLO (LT)
Aristocrate, charnu, puissant, sensuel, profond et avec du panache
saveurs dominantes: fruitée, animale, boisée, végétale, épicée – cerise, cassis, mûre, poivre, parfums complexes de cuir, de tabac, d'encens

CABERNET-SAUVIGNON (LT)
Structuré, noble, frais, stylé et complexe
saveurs dominantes: fruitée, végétale, empyreumatique, boisée – mentholée, fumée, petits fruits noirs, cèdre, écorce

CARIGNAN (CT)
Rustique, capiteux, linéaire, productif et rude
saveurs dominantes: animale, végétale, empyreumatique – notes de cuir, de réglisse

CÔT (CT) à (MT)
Simple, rustique, souple, coloré et parfumé
*saveurs dominantes: florale (rose rouge, pivoine),
fruitée (mûre, framboise), végétale, boisée*

DOLCETTO (CT)
Aimable, généreux, coloré, simple et souple
*saveurs dominantes: fruitée, empyreumatique –
notes de prune, coing, amande amère, chocolat*

GRENACHE NOIR (MT)
Musclé, souple, simple, rustique et capiteux
*saveurs dominantes: animale, fruitée, épicée,
végétale*

MAVRODAPHNÉ (MT) à (LT)
Rustique, capiteux, généreux, original et ancien
saveurs dominantes: fruitée (fruits confits), épicée

MONASTRELL (CT) à (MT)
Rustique, résistant, simple, charnu et adaptable
saveurs dominantes: fruitée, épicée

MONTEPULCIANO (MT)
Coloré, robuste, épais, simple et généreux
*saveurs dominantes: fruitée, boisée, épicée – cerise,
pruneau, pointe de réglisse*

MOURVÈDRE (LT)
Individualiste, robuste, affirmé, tannique et
colérique
saveurs dominantes: animale, épicée, empyreu-
matique, fruitée – prune, petits fruits rouges et
noirs, basse-cour, cuir, iode

PETITE SYRAH (LT)
Robuste, rustique, coloré, tannique et fonceur
saveurs dominantes: fruitée, végétale – mûre bien
mûre

TANNAT (LT)
Coloré, viril, tannique, entêté et robuste
saveurs dominantes: boisée, animale, fruitée, épicée
– pruneau, petits fruits noirs et rouges, notes de cuir

TEMPRANILLO (MT) à (LT)
Vivant, parfumé, structuré, complexe et traditionnel
saveurs dominantes: florale, fruitée, épicée,
boisée, végétale – fruité de fraise, mûre et cassis,
vanille, girofle

TEROLDEGO (MT)
Coloré, coulant, robuste, simple et avec de
l'épaisseur
saveurs dominantes: fruitée (petits fruits noirs),
épicée (tabac, réglisse)

ZINFANDEL (CT) à (MT)
Direct, riche, puissant, capiteux et expressif
saveurs dominantes: fruitée, herbacée, florale –
canneberge, mûre, framboise bien mûre

L'élément Air
et ses cépages

Symbolisme de l'Air

Élément actif et masculin.

L'air est associé au vent et au souffle. L'air nourrit le feu. Il est le symbole de la pensée, de la connaissance, du mouvement et de la légèreté qui amènent au détachement et à la spiritualité. Il représente le monde subtil entre la terre et le ciel, celui qui nourrit l'esprit dans la matière. Le souffle est l'essence divine dans la substance des êtres. Pas de souffle, pas de vie. Symbole sensible de la vie invisible, le souffle est aussi régénérateur et purificateur.

Les esprits divins de l'Air

Les *elfes* sont les esprits de l'air. On dit qu'ils ont une apparence humaine et que leur taille ne dépasse pas celle d'une main. Ils vivent en général dans les forêts, près des fleurs, car ils aiment beaucoup la lumière douce et les parfums.

L'Air, la vigne et l'homme

Dans le règne végétal, l'air habite le domaine des fleurs et des odeurs. Tout végétal respire. La vigne a besoin de CO_2 (gaz carbonique formé de carbone et d'oxygène) et rejette l'O_2 (oxygène). Tout humain respire. Par effet miroir, l'homme a besoin d'O_2 et rejette le CO_2.

Parce que les *signes d'Air* vivent dans le domaine abstrait de la pensée, ils sont motivés par les concepts intellectuels. Faisant appel à la raison, les signes d'Air tendent à s'élever au-dessus d'un conflit quand ils y sont confrontés. Face à leur interlocuteur du moment, ils se conduisent avec élégance, au risque que ce dernier trouve porte close un peu plus tard.

Pour nourrir leur élément, les *signes d'Air* devront s'impliquer, soit avec des personnes du même signe qu'eux, soit avec celles du signe de Feu, leur élément complémentaire naturel, pour favoriser l'expression de leurs idées et stimuler leur liberté intellectuelle. Le terrain idéal pour que les signes d'Air se régénèrent est un air très chargé en électricité, pur et vif, dont la qualité ne se trouve guère qu'à la montagne, ou encore à la mer, qui les apaise grâce à l'air iodé.

Caractéristiques du tempérament Air

Les trois signes gardiens du souffle sont le Gémeaux (physique), la Balance (émotions) et le Verseau (mental).

Mots clés de l'élément Air:

SEC, FROID, LÉGER, ACTIF, MOBILE.

Profil des cépages de l'élément Air

Les cépages types de l'élément Air sont blancs et ne vieillissent pas bien longtemps. Ils ne tombent jamais dans la caricature et vous y trouverez toujours un fil conducteur, une sorte «d'écho» subtil des saveurs qui les traversent sans les laisser tomber. Ils sont souvent très fins, précis, détaillés, sensuels et originaux. Aussi peuvent-ils échapper à l'amateur qui ne sait pas les voir, et encore moins les goûter.

Cépages blancs de l'élément Air

- -

Légende:
CT = vieillissement à court terme (moins de 2 ans)
MT = vieillissement à moyen terme (entre 2 et 5 ans)
LT = vieillissement à long terme (5 ans et plus)

- -

ALIGOTÉ (CT)
Peu nuancé, simple, direct, franc et vif
saveur dominante: végétale, florale

ALVARINHO (CT)
Léger, pointu, pétillant, simple et juvénile
saveur dominante: herbacée

ASSYRTIKO (CT)
Traditionnel, linéaire, frais, fin et léger
saveurs dominantes: florale, fruitée, minérale

CHARDONNAY (CT) à (LT)
Noble, classique, adaptable, complexe et universel
saveurs dominantes: fruitée, florale, parfois minérale – fruits blancs et fruits jaunes

CORTESE (CT)
Subtil, nerveux, fin, longiligne et léger
saveurs dominantes: florale, fruitée – notes d'agrume, d'amande, d'anis

FIANO (MT)
Traditionnel, léger, détaillé, fin et gracieux
saveurs dominantes: fruitée, florale, parfois minérale – noisette, amande, fleurs blanches, fruits blancs

GARGANEGA (CT) à (MT)
Élégant, charmeur, tendre, précis et vivant
saveurs dominantes: florale, fruitée – anis, agrume frais, miel

MELON DE BOURGOGNE (CT)
Lumineux, tranchant, léger, vif, droit et longi-ligne
saveurs dominantes: fruitée, florale, minérale, parfois musquée – citron, pomme, note de poire

PALOMINO (CT) à (LT)
Énigmatique, neutre, original, fier et pointu
saveurs dominantes: florale, minérale, fruitée – noix, olive verte, camomille

RIESLING (LT)
Racé, fin, fier, vibrant et détaillé
saveurs dominantes: minérale, florale, fruitée

SYLVANER (CT)
Malicieux, honnête, simple, direct, vif et léger
saveurs dominantes: fruitée, végétale – agrume, côté herbacé de fougère, pomme

TOCAI FRIULANO (CT)
Distingué, stimulant, enjoué, parfumé et aérien
*saveurs dominantes: florale, fruitée – pomme
verte, citron, ananas*

VERDICCHIO (CT)
Mordant, sec, simple, léger et amer
saveur dominante: fruitée

🍇 Cépages noirs de l'élément Air 🍇

Légende: voir page 47

DORNFELDER (CT)
Coloré, souple, coulant, simple et rebondi
saveurs dominantes: fruitée, florale

GAMAY (MT) à (LT)
Naturel, charmeur, friand, simple et expressif
*saveurs dominantes: florale (pivoine), fruitée
(petits fruits rouges)*

LAMBRUSCO (CT)
Aimable, franc, expressif, nerveux et simple
*saveurs dominantes: fruitée (très près du raisin),
florale (prune, cerise, violette)*

NÉGRETTE (CT)
Peu coloré, frais, léger, unique et captivant
saveurs dominantes: épicée, fruitée

PINOT NOIR (CT) à (LT)
Mystificateur, complexe, noble, sensuel et
capricieux
*saveurs dominantes: fruitée, épicée, animale –
fraise, réglisse*

REFOSCO Ⓒⓣ
Coloré, original, caméléon, vigoureux et vivant
saveurs dominantes: fruitée (petits fruits noirs),
épicée (poivre noir)

L'élément Eau
et ses cépages

Symbolisme de l'Eau

Élément passif et féminin.

L'eau est source de vie. L'eau nourrit la terre. Elle vient du ciel et le ciel descend vers l'homme. Origine et véhicule de toute vie, l'eau est élément nourricier et purificateur. L'eau est libre, fluide et sans attache, elle se densifie et devient inerte. Elle représente l'infinité des possibles. Elle est mère et matrice, la matière parfaite. L'eau symbolise la purification du désir jusqu'à sa forme la plus sublime, la bonté.

Les esprits divins de l'Eau

Les fées des eaux sont les plus nombreuses. Sans entrer dans le détail, disons que les *nymphes*, d'apparence très humaine, se trouvent dans tous les endroits où il y a de l'eau. Vous aurez de la chance si vous apercevez les puissantes et orgueilleuses *néréides*, les esprits de l'écume des grosses vagues, parce qu'avec la pollution de nos eaux, elles fuient de plus en plus le monde des hommes. À ne pas confondre avec les fragiles *ondines*, esprits de l'eau des fleuves.

L'Eau, la vigne et l'homme

Dans la vigne, l'eau prédomine dans les feuilles (la tige sert d'ascenseur). Ses besoins en eau sont considérables pour son développement. L'eau est source de vie et condition de survie pour l'homme. L'eau se retrouve chez l'homme dans tout ce qui est fluide (lymphe, sang, etc.).

Parce que les *signes d'Eau* vivent dans le domaine des sentiments, ils sont motivés par les désirs émotionnels les plus profonds. Toujours impressionnables face à un obstacle, les signes d'Eau ont tendance à se laisser porter par la vague, voire à écarter doucement de leur vie l'objet de tous leurs malheurs.

Les *signes d'Eau* devront s'impliquer avec des personnes du même élément qu'eux ou avec celles du signe de Terre, élément complémentaire naturel, ou ils devront s'engager émotionnellement dans tout ce qu'ils entreprennent et exprimer librement leurs sentiments. Le terrain idéal pour qu'un signe d'Eau se régénère est la proximité d'une source d'eau (rivière, fleuve, lac, océan) ou des activités liées à la terre.

Caractéristiques du tempérament Eau

Les trois signes d'Eau sont le Cancer (physique), le Scorpion (émotions) et le Poissons (mental). Mots clés de l'élément Eau:

MOUILLÉ, FROID, PESANT, PASSIF, COULANT, SENSIBLE, OBSCUR, MAIS LAISSANT VOYAGER LA LUMIÈRE.

Profil des cépages de l'élément Eau

Ces cépages naviguent souvent entre deux pôles: blancs ou noirs, fluides, coulants et atta-chants ou entiers, figés, épais, cachés derrière une densité de tanins. Ils vieillissent aussi bien à court, à moyen qu'à long terme. Dans leur jeunesse, ils ont de la simplicité et de l'intensité; en vieillissant, ils gagnent en complexité avec ce quelque chose qu'ils aiment à accentuer.

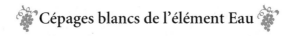 Cépages blancs de l'élément Eau

- -

Légende:
CT = vieillissement à court terme (moins de 2 ans)
MT = vieillissement à moyen terme (entre 2 et 5 ans)
LT = vieillissement à long terme (5 ans et plus)

- -

CHARDONNAY (CT) à (LT)
Noble, classique, adaptable, complexe et universel
saveurs dominantes: fruitée, florale, parfois minérale – fruits blancs et fruits jaunes

CHASSELAS (CT)
Simple, friand, généreux, naturel et frais
saveur dominante: fruitée – pomme, touche herbacée

CHENIN (MT) à (LT)
Unique, polyvalent, sérieux, droit, fin, précis, complexe, profond et mystérieux
saveurs dominantes: florale, végétale, minérale, fruitée – aubépine, coing, pomme verte, citron confit

GARGANEGA (CT) à (MT)
Élégant, charmeur, tendre, précis et vivant
saveurs dominantes: florale, fruitée – anis, agrume frais, miel

GRENACHE BLANC (CT)
Capiteux, vineux, riche, savoureux et ample
saveurs dominantes: fruitée, épicée

MARSANNE (CT)
Coloré, rond, riche, simple et fragile
saveurs dominantes: épicée, balsamique, fruitée

MAUZAC (CT)
Traditionnel, polyvalent, simple, rustique et
sans nuance
saveur dominante: fruitée (pomme)

MUSCAT (CT)
Séduisant, simple, facilement identifiable,
voluptueux, attachant et fin
*saveurs dominantes: fruitée, florale – miel, pâtis-
serie, pain d'épice, raisin frais*

PINOT BLANC (CT)
Accessible, rond, constant, direct, simple, fluide
et agile
saveurs dominantes: végétale, florale (sureau)

PETIT ET GROS MANSENG (CT) à (LT)
Original, intense, polyvalent, riche, complexe et
séducteur
*saveurs dominantes: fruitée, épicée – miel, noix,
abricot sec, châtaigne, nèfle*

PINOT GRIS (LT)
Noble, ample, profond, généreux et élégant
saveurs dominantes: épicée, fruitée

SAVAGNIN (LT)
Original, pas facile d'approche, nuancé, typique
et a du caractère
*saveurs dominantes: fruitée, épicée – pomme,
miel, noix*

SÉMILLON (LT)
Indolent, enveloppé, discret, moelleux et sensuel
*saveurs dominantes: florale, fruitée, épicée (cire,
abricot, pêche, tilleul, citron)*

TREBBIANO (CT)
Léger, délicat, neutre, simple et court
saveurs dominantes: florale, fruitée

VIOGNIER (CT) à (LT)
Séduisant, plein, subtil, voluptueux, exotique et
complexe
*saveurs dominantes: fruits exotiques, florale, bal-
samique, épicée*

🍇 Cépages noirs de l'élément Eau 🍇

Légende: voir page 57

CINSAUT (MT) à (LT)
Fin, coloré, puissant, simple et vivant
saveurs dominantes: animale(cuir), fruitée (pruneau), florale (rose rouge), empyreumatique (pointe de tabac)

CORVINA (MT)
Élégant, souple, mordant, souvent complexe et parfumé
saveurs dominantes: florale (pivoine, rose), fruitée (noyau de cerise)

DOLCETTO (CT)
Aimable, généreux, coloré, simple et souple
saveurs dominantes: fruitée, empyreumatique (notes de prune, coing, amande amère, chocolat)

NERO D'AVOLA (MT) à (LT)
Original, fier, coloré, charnu, profond et a de l'épaisseur
saveurs dominantes: fruitée, empyreumatique, épicée – datte, figue, cerise presque confite, fumée

NIELLUCCIO (CT)
Fluide, aromatique, capiteux, peu coloré et souple
*saveurs dominantes: épicée (poivre noir), fruitée
(petits fruits noirs, santal, réglisse)*

MERLOT (MT)
Universel, souple, rond, généreux et facile d'accès
saveurs dominantes: fruitée, végétale, animale

PINOTAGE (MT) à (LT)
Souple, corsé, chaleureux, rond et capiteux
saveurs dominantes: fruitée, épicée

TEROLDEGO (MT)
Coulant, robuste, simple, coloré et avec de
l'épaisseur
*saveurs dominantes: fruitée (petits fruits noirs),
épicée (tabac, réglisse)*

XYNOMAVRO (MT)
Vieux cépage, simple, complet, concentré et très
coloré
*saveurs dominantes: notes de fruits secs (pru-
neaux, dattes, figues), fumée*

Les vins
et
les **12** signes du zodiaque

Le zodiaque et les **12** personnalités de l'univers

Les douze signes du zodiaque sont la pierre angulaire de l'astrologie qui permet de mettre en évidence tous les signes révélateurs de notre caractère. La tradition nous révèle que chaque signe du zodiaque possède des propriétés bien définies, des influences qui nous ont été transmises à la naissance et qui déterminent notre personnalité future (tout comme notre santé et notre destin). Naître au moment où l'un des signes est occupé par l'ascendant ou plusieurs astres nous attribue les propriétés de ce signe. Peut-être en est-il de même pour le vin, mais, astres ou pas, c'est bien la main de l'homme qui polira la personnalité de l'un et de l'autre pour la rendre unique. Aucun risque dans ces conditions de trouver deux Château Margaux identiques ou votre réplique parfaite!

L'espèce humaine a donc été classée en douze types psychologiques. Notez bien que les douze signes du zodiaque ne sont pas seulement le reflet de douze types de caractères différents, mais qu'ils sont avant tout des symboles d'énergies bien précises qui concordent avec les «vibrations» propres à une période donnée de l'année. Les métamorphoses que nous pouvons observer en un an (le tour de la roue zodiacale) dans la nature sont pour ainsi dire symboliquement reproduites dans la succession des signes du zodiaque; ces mêmes signes représentent les douze stades de croissance de la nature, mois après mois, et l'évolution de notre propre nature au cours de notre vie, tout comme celle de la vigne. Nous avons en nous, par essence, toutes les propriétés de chacun des signes et notre modeste travail sur terre consiste à chercher la substance de chacun d'eux pour devenir des êtres accomplis.

Les tempéraments planétaires

En astrologie, les types planétaires sont aussi importants que les types zodiacaux. La tradition astrologique associe une planète (ou deux) à chaque signe du zodiaque, appelée «planète maîtresse du signe». Que ce soit sur le plan physique ou sur le plan psychologique, les planètes ont leurs propres traits de caractère dont nous héritons lorsqu'elles se trouvent dans notre ciel de naissance. Même si théoriquement nous possédons potentiellement le tempérament de chacune des douze planètes de notre système solaire, notre *vrai* tempérament correspond, dans les grandes lignes, au profil du signe de notre heure de naissance, fortement teinté par le tempérament des planètes qui s'y trouvaient ce jour-là. Chaque planète dominante prend donc la «couleur» de l'élément et du signe astrologique au moment où elle s'y trouve. Ce qui nous intéresse ici, ce sont les traits principaux qui caractérisent chaque planète et qui viennent s'ajouter au portrait du signe et étoffer celui des vins qui lui ressemblent. Par exemple, si vous êtes *Taureau*, votre planète de naissance se trouve être Vénus, et il y a de fortes chances pour que l'ovale de votre visage dégage cet air de douceur caractéristique à Vénus, que votre solidité et votre générosité naturelles viennent s'ajouter au portrait du vin qui vous ressemble et qui sera, par conséquent, d'un rouge profond, d'une belle rondeur, bien typé, structuré et séducteur.

Le Bélier

État de la nature à l'heure du Bélier

Le temps de l'éveil.

Le soleil s'y trouve entre le 21 mars et le 21 avril, période qui correspond au premier mois du printemps (équinoxe du printemps). C'est le réveil de la nature et ses forces vives peuvent à nouveau s'exprimer librement. La montée du soleil fait fondre les neiges et marque le passage du froid à la chaleur, de l'ombre à la lumière. À nouveau, le jour triomphe de la nuit. C'est le moment de la germination, du renouvellement. Le germe, la pousse, le bourgeon rompent avec l'indifférenciation première pour se singulariser, s'individualiser.

Calendrier du vigneron en avril

C'est la fin du labour. On nettoie la vigne, on assiste au brûlage des derniers bois de taille, on remplace les échalas pourris. Le vigneron met en terre les greffons de un an. Il ne lui reste plus qu'à prier pour que la végétation soit tardive et que la vigne ne subisse ni gelée ni grêle.

Dicton du vigneron en avril

«Bourgeon qui pousse en avril, met peu de vin dans le baril.»

Mars, planète maîtresse du Bélier

Le dieu Mars présidait à la guerre (querelle, rupture, violence). On ne peut jamais vraiment le dissocier de Vénus, havre de paix incontournable pour le «repos du guerrier». Mars et Vénus forment un seul noyau bipolaire: l'énergie de type masculin-martien du premier (yang) vient compléter celle de type féminin-vénusien de l'autre (yin). Les tendances agressives, l'hostilité se rattachent au couple Mars-Vénus, sans oublier que la haine est souvent proche de l'amour.

Péché capital de la planète: *la colère*

Type MORPHOLOGIQUE du Bélier

Le Bélier n'est pas très grand; il a un corps musclé et les épaules carrées. C'est le type sportif. Les cheveux sont bouclés et la calvitie est souvent précoce; le regard est direct, et le menton carré.

Profil du Bélier

C'est le pionnier du zodiaque.
Premier signe de Feu, premier signe du zodiaque. Signe masculin.

C'est le feu initial, le feu physique. Le Bélier
doit bouger physiquement. C'est un actif, un
énergique. Souvent pressé d'agir, il s'impatiente
rapidement. Son impulsivité et sa spontanéité
ne portent pourtant aucun ombrage à son
ambition. On le dit excessif et impulsif. Profondément honnête, il réagit toujours violemment
à la «trahison». Avec lui, on passe du tout au
rien. C'est un provocateur. Toujours prêt à se
battre pour les causes que sa passion anime, son
enthousiasme, son courage, son dynamisme
nourrissent son esprit de compétition. Il a une
volonté de fer. C'est un meneur-né, autoritaire,
téméraire, bon organisateur malgré son côté
désordonné, apprécié pour sa franchise, sa
générosité, sa fidélité et son intégrité. C'est un
être indiscipliné, sauf si c'est lui qui impose,
mais rigoureux. Pionnier dans l'âme, curieux de
tout, cet aventurier est un novateur.

L'art de vivre du Bélier

Le Bélier manque toujours de temps. Il mange très vite et ne porte pas toujours attention à ce qu'il ingurgite. N'attendez donc pas de lui qu'il passe des heures à table, c'est peine perdue. Les cocktails, les longs dîners gastronomiques ne sont pas tout à fait sa «tasse de thé». N'insistez plus. Les mondanités l'énervent et il n'est pas diplomate pour deux sous. Il a horreur de l'inefficacité et il déteste parler pour rien et perdre son temps. Vif, rapide, plein d'énergie, notre ami martien réagit toujours au quart de tour. Avec lui, pas de demi-mesure. Il aime ou il déteste, ses voisins de table comme les plats qu'on lui présente. Et il vous le dit aussi sec. Il piaffe d'impatience quand sa commande n'arrive pas dans la minute. Proposez-lui un dîner entre amis, et là, notre Bélier est au rendez-vous. Il a l'humour caustique, et c'est sans doute une des raisons pour lesquelles on adore sa compagnie. Il fait souvent le pitre. On a l'impression qu'il est très présent et tout d'un coup on le cherche... il a filé!

Portrait type du Vin Bélier

C'est le vin direct.

Le Vin Bélier est autant blanc que rouge, mais toujours simple, expressif, intense, franc, sans nuance, ferme, nerveux, précis, vif, pur, puissant et sec. C'est un vin de fraîcheur, d'action, de dynamisme et de rebondissement qui captive et parfois déroute tant il peut être direct et provocant. Le Vin Bélier dérange, stimule, charme et bouscule en offrant toute sa générosité.

L'image type du Vin Bélier?

Le volubile **Sauvignon blanc** de Nouvelle-Zélande qui aime à plaire, ici et maintenant, sans autre préambule.

Vins blancs Bélier

- CHENIN BLANC/SAUVIGNON BLANC 1996, COASTAL REGION, ZONNEBLOEM
  prix: 11,65 $ code: 367441   (R)   Afrique du Sud

  cépage: CHENIN BLANC/SAUVIGNON BLANC

  caractéristiques: sec, vif, coulant, léger et un rien exotique

  personnage: un infatigable espiègle

- GATO BLANCO 1996
  prix: 9,30 $ code: 219048   (R)   Chili

  cépage: SAUVIGNON

  caractéristiques: sec, léger, nerveux, simple et immédiat

  personnage: un tireur à l'arc

- LES FUMÉES BLANCHES 1996, J. ET F. LURTON
  prix: 10,65 $ code: 472555   (R)   France

  cépage: SAUVIGNON

  caractéristiques: sec, mordant, léger, tranchant et direct

  personnage: un funambule

(R) = Produits réguliers · (S) = Produits de spécialité

Vins blancs Bélier (suite)

- MARQUIS DE CHASSE 1996
  prix: 11,20 $ code: 404095 (R)   France

cépage:	DOMINANTE SAUVIGNON
caractéristiques:	sec, nerveux, fonceur, fini net, herbacé
personnage:	un lapin agile

- RIESLING RÉSERVE 1995, LÉON BEYER
  prix: 14,90 $ code: 081471 (R)   France

cépage:	RIESLING
caractéristiques:	sec, nerveux, tranchant, minéral et d'un équilibre très enviable
personnage:	un gamin qui a du ressort

- MONSIEUR CYRANO 1995, BERGERAC SEC
  prix: 9,15 $ code: 463448 (R)   France

cépage:	DOMINANTE SAUVIGNON
caractéristiques:	sec, léger, frais, aromatique, simple et court en bouche
personnage:	un fin causeur

- SAUVIGNON 1995, VIN DE PAYS D'OC,
  BARON PHILIPPE DE ROTHSCHILD
  prix: 10,35 $ code: 407536 (R)   France

cépage:	SAUVIGNON
caractéristiques:	simple, sec, frais, léger, peu nuancé, bien équilibré, aux notes simples d'agrume et de pomme
personnage:	un timide qui se soigne

Vin moelleux Bélier

- MADEIRA CERCIAL SEC, CASA DOS VINHOS, MADEIRA
  prix: 17,70 $ code: 087585   (R)   Portugal

cépage:	CERCIAL
caractéristiques:	alternance du sucré, de l'acidité et du salé sur de longues saveurs de figue et d'épice
personnage:	un aventurier original

Vins rouges Bélier

- AZIANO CHIANTI CLASSICO 1995
  prix: 15,25 $ code: 307025   (R)   Italie

cépage:	DOMINANTE SANGIOVESE
caractéristiques:	sec, bondissant, fruité franc, léger, fonceur
personnage:	un jockey

- CHÂTEAU CAZAL-VIEL ST-CHINIAN 1996
  prix: 11,05 $ code: 202499   (R)   France

cépage:	DOMINANTE GRENACHE
caractéristiques:	sec, coloré, souple, rustique, avec du grain, épicé
personnage:	un garçon boucher

- NEBBIOLO D'ALBA 1993, GIRIBALDI
  prix: 17,50 $ code: 430819   (R)   Italie

cépage:	NEBBIOLO
caractéristiques:	sec, corsé, enveloppé et fondu, évolue sur des notes fraîches de fumée, de bois et de tabac
personnage:	un enquêteur tenace

- SYRAH 1995 FORTANT DE FRANCE
  prix: 10,45 $ code: 271510   (R)   France

cépage:	SYRAH
caractéristiques:	sec, simple, généreux, rustique, entier
personnage:	une vendeuse de publicité

- CHIANTI CLASSICO 1995, SAN FELICE
  prix: 15,75 $ code: 245241   (R)   Italie

cépage:	DOMINANTE SANGIOVESE
caractéristiques:	sec, souple, généreux, avec une matière fruitée bien vivante
personnage:	un coureur automobile

- SHIRAZ BIN 50 1995, LINDEMANS
  prix: 12,80 $ code: 145367   (R)   Australie

cépage:	SYRAH
caractéristiques:	sec, coloré, peu nuancé mais intense, avec des notes boisées vanillées et fruitées
personnage:	une lutteuse olympique

Quel vin offrir à un Bélier?

Il vous faudra user de ruse pour satisfaire le Bélier, car il balance entre l'aérien et le terrestre, le filiforme et l'opulent. Sans doute un **Barbaresco de millésime faste** ou un **Corton de la Côte de Beaune** feront très bien l'affaire.

Le Taureau

État de la nature à l'heure du Taureau

Le temps de la croissance.

Le soleil s'y trouve entre le 21 avril et le 21 mai. La nature se situe entre l'équinoxe du printemps et le solstice d'été. Une période de changement total dans le cycle annuel où la vie nouvelle s'enracine pour assurer sa stabilité. Lentement, la nature s'éveille, se structure, s'organise. C'est le début de la feuillaison et de la floraison. Les pousses végétales prennent racine et tirent leur nourriture du sol labouré.

Calendrier du vigneron en mai

En mai, c'est le risque de gel. Par temps clair, il peut être nécessaire de chauffer le vignoble avec des poêles toute la nuit. Second labour pour éliminer les mauvaises herbes. Pulvérisation des vignes, taille des gourmands tous les dix jours pour que la sève monte dans le cep.

Dicton du vigneron en mai

«Bourgeon en mai, remplit le chai.»

Vénus, planète maîtresse du Taureau

Vénus est la déesse de l'amour et de la beauté, donc, par extension, de l'art et de la volupté. Elle est au cœur des impulsions amoureuses et de toutes les tendances qui poussent l'être humain vers son semblable. On ne peut la dissocier de Mars: l'amour et la guerre ne sont sans doute que les deux aspects d'une même réalité. L'instinct sexuel, l'attrait du beau, l'enthousiasme, la ferveur et l'union mystique, la recherche de l'unité et de la fécondité prennent naissance dans le «centre d'énergie», dans le «noyau» vénusien. Vénus symbolise aussi l'imagination: mère des êtres vivants par l'union des sexes, elle est aussi créatrice sur le plan spirituel. Elle incite à l'amour, à ses joies, à ses difficultés et à ses peines. Elle incline aux plaisirs de l'existence, mais ne reste pas toujours modérée: elle peut devenir brûlante, conquérante et passionnée.

Péché capital de la planète Vénus: *la luxure*

Type MORPHOLOGIQUE du Taureau

Le Taureau est massif et robuste. Son énergie est consistante et lourde; elle marque l'épaisseur, la densité, la solidité et la puissance de l'inertie. Le cou rentre dans des épaules solides. Le Taureau a souvent des mains fortes. Ses yeux sont doux, aimables, le regard est placide et rêveur. Il a une fossette au menton. Souvent le visage devient rouge à cause des excès de table (et de vin!). Il s'arrondit avec l'âge.

Profil du Taureau

C'est le bâtisseur du zodiaque.

Premier signe de Terre, deuxième signe du zodiaque. Signe féminin.

C'est le plus puissant des signes de terre, il symbolise la matière première, la substance initiale, la fécondité (terre féconde). Le Taureau est pressé d'aimer et d'avoir une sécurité matérielle. Il aime posséder, achète du beau et de la qualité. C'est un conservateur. Il est lent, méthodique, ferme, obstiné, patient, persévérant. Il a du sens pratique avant tout. Jamais d'emballement avec lui; travailleur sans relâche, il use de prudence et réfléchit avant de répondre. C'est un entêté. Quand sa décision est prise, rien ne peut l'en faire changer. C'est le signe le plus émotif du zodiaque parce qu'il ne comprend pas encore ses émotions. Il ne peut comprendre que si l'action passe par ses sens. Il est du reste très sensible aux chocs émotifs. Il peut être très généreux ou très narcissique et avoir un sens artistique très développé.

L'art de vivre du Taureau

Tout à fait le contraire de son voisin Bélier. Il est lent, sensuel, adore la vie et tous ses plaisirs. Avec lui, la maxime «La gourmandise est un vilain défaut» a toute sa place. Sa joie de vivre est charnelle, c'est un amoureux des bonnes choses, parfois avec excès, et seule sa lenteur sauve la mise. Il peut tout se permettre, mais avec mesure. Le Taureau est un convive très agréable qui parle avec élégance et entrain. Il fait du reste souvent partie des boute-en-train de la soirée, surtout quand le bon vin coule à flots. Il apprécie énormément une bonne table dans un dîner raffiné, mais non guindé. Il est terre à terre et bon vivant, même si parfois ses manières sont un peu rustres. Il peut passer des heures à mijoter des petits plats pour les gens qu'il aime et ne reculera devant rien pour avoir les meilleures bouteilles. Rien ne lui fait plus plaisir que de recevoir à dîner chez lui. La cuisine et la salle à manger sont ses endroits de prédilection dans la maison, sans oublier la cave, qu'il bichonne tout particulièrement.

Portrait type du Vin Taureau

C'est le vin gourmand.

Le Vin Taureau est rouge, solide, dense, rond, charnu, épais, robuste et vieillit lentement, mais longtemps. Le Vin Taureau est le prototype même du vin-nourriture, celui qui contente, réconforte, reconstitue et apaise. Il est simple, généreux, sensuel et parfois secret; il respire la convivialité et le partage.

L'image type du Vin Taureau?
Un **Châteauneuf-du-Pape** coloré, puissant et profond.

Vins blancs Taureau

- HANNS CHRISTOF LIEBFRAUMILCH 1995,
  DEINHARD
  prix: 10,95 $ code: 003269   (R)   France

cépage:	DOMINANTE MÜLLER-THURGAU
caractéristiques:	doux, rond, vivant, séducteur, facile
personnage:	une religieuse épanouie

- MEURSAULT 1995, CHARTRON & TRÉBUCHET
  prix: 43 $ code: 706366   (S)   France

cépage:	CHARDONNAY
caractéristiques:	sec, rond, ample, gourmand, distingué avec de la sève, notes de noisette
personnage:	un fascinant conférencier

- RETSINA, J. BOUTARI
  prix: 7,95 $ code: 359158   (R)   Grèce

cépage:	SAVATIANO
caractéristiques:	sec, frais, avec de la rondeur, enveloppé et d'insistantes notes balsamiques sur une longue finale
personnage:	une charmeuse de serpents

(R) = Produits réguliers • (S) = Produits de spécialité

Vins blancs Taureau (suite)

- SAMOS
  prix: 11,75 $ code: 044578   (R)   Grèce

cépage:	MUSCAT
caractéristiques:	doux, moelleux, riche, rustique, ample et généreux
personnage:	un invité surprise

Vin blanc mousseux Taureau

- CODORNIU BRUT CLASICO
  prix: 12,80 $ code: 006262   (R)   Espagne

cépage:	DOMINANTE CHARDONNAY
caractéristiques:	Frais, rond, peu dosé, effervescent, rustique, franc
personnage:	un grand frère sur qui l'on peut toujours compter

Porto blanc Taureau

- TAYLOR FLADGATE CHIP DRY
  prix: 18,55 $ code: 164111   (S)   Portugal

cépage:	ARINTO/CERCIAL, BUAL, ETC.
caractéristiques:	moelleux, puissant, du tonus, saveurs intenses simples et profondes
personnage:	un spéléologue en herbe

Vins rouges Taureau

- BARBERA D'ASTI SUPERIORE 1995,
  MICHÈLE CHIARLO
  prix: 15,05 $ code: 356105   (R)   Italie

cépage:	BARBERA
caractéristiques:	sec, frais, rustique, piquant, fruité acidulé
personnage:	un paysan

- CANNONAU DI SARDEGNA RISERVA 1993
  prix: 14,90$ code: 425488   (R)   Italie

cépage:	GRENACHE NOIR
caractéristiques:	sec, coloré, piquant et tannique, rustique, étoffé
personnage:	un charbonnier

- DOMAINE MARIS CARTE NOIRE 1994
  prix: 11,55 $ code: 337568   (R)   France

cépage:	DOMINANTE GRENACHE NOIR
caractéristiques:	coloré, plein, fruité mûr, rustique, épicé
personnage:	un veilleur de nuit

Vins rouges Taureau (suite)

- MONTEPULCIANO D'ABRUZZO 1996,
  CASAL THAULERO
  prix: 9,55 $ code: 057083   (R)   Italie

cépage:	MONTEPULCIANO
caractéristiques:	sec, coloré, frais, riche, au fruité de cerise et de bois
personnage:	un sorcier

- DOMAINE DE LA PRÉSIDENTE, CAIRANNE 1995,
  MAX AUBERT
  prix: 13,10 $ code: 412817   (R)   France

cépage:	DOMINANTE GRENACHE NOIR
caractéristiques:	sec, étoffé, frais, au fruité épicé fondant et parfumé
personnage:	un randonneur

- BENJAMIN BRUNEL 1994, CÔTES-DU-RHÔNE
  VILLAGES, CHÂTEAU DE LA GARDINE
  prix: 17,10 $ code: 123778   (R)   France

cépage:	DOMINANTE GRENACHE NOIR
caractéristiques:	sec, souple, complexe, corsé, aux saveurs fruitées relevées d'une pointe d'épice
personnage:	l'aventurier de l'Arche perdue

- SANGRE DE TORO 1995, MIGUEL TORRES
prix: 9,95 $ code: 006585   (R)   Espagne

  cépage: GRENACHE NOIR
  caractéristiques: sec, coloré, bien en chair, frais et au fruité marqué, avec de la mâche
  personnage: un chercheur de truffes

- LES CHAREST 1995, CÔTES-DU-RHÔNE VILLAGES, M. CHAPOUTIER
prix: 14,95 $ code: 454876   (R)   France

  cépage: DOMINANTE GRENACHE NOIR
  caractéristiques: sec, souple, plein, frais, aux arômes de fruits secs et de garrigue
  personnage: un éleveur de poules

- TRAPICHE MALBEC 1994, BODEGAS TRAPICHE
prix: 11,95 $ code: 430611   (R)   Argentine

  cépage: CÔT
  caractéristiques: sec, souple, frais, de constitution moyenne, saveurs charnues et mûres, bien fruitées sur une finale de fumée et de bois
  personnage: un jovial aubergiste

- LE MADIRAN 1995, ALAIN BRUMONT
prix: 12,15 $ code: 466656   (R)   France

  cépage: TANNAT
  caractéristiques: sec, frais, solide, moyennement corsé, avec des notes de mûre sauvage et de bois
  personnage: un fougueux taciturne

Vins Taureau

Vins rouges Taureau (suite)

- CHÂTEAU DE GOURGAZAUD 1994, MINERVOIS
  prix: 11,55 $ code: 022384   (R)   France

cépage:	DOMINANTE GRENACHE NOIR
caractéristiques:	sec, coloré, rond, avec de l'épaisseur, fruité franc
personnage:	un haltérophile

☆

Quel vin offrir à un Taureau?

Le vin devra avoir du charme, de la puissance et un côté gourmand comme un **Crozes-Hermitage** ou un **Cornas.**

Le Gémeaux

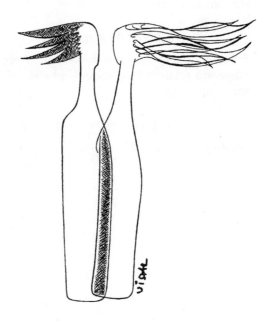

État de la nature à l'heure du Gémeaux

Le temps de la floraison.

Le soleil s'y trouve entre le 21 mai et le 21 juin, période qui correspond au troisième mois du printemps, avant le solstice d'été. La sève monte, le feuillage se développe, le vent disperse les pollens pour que la vie se renouvelle, la nature s'exprime pleinement en une multitude de formes et de couleurs.

Calendrier du vigneron en juin

En juin, c'est la floraison de la vigne. Après cette étape, on éclaircit la vigne et on lie les meilleurs sarments.

Dicton du vigneron en juin

«Si juin fait la quantité, septembre fait la qualité.»

Mercure, planète maîtresse du Gémeaux

Mercure est un dieu polyvalent: messager des dieux, commerçant, souple, insinuant, rapide, leste, nerveux, il sait prendre mille formes et parler toutes les langues. Mercure joue un rôle capital dans la vie psychique de l'homme. Agissant sur les faits conservés par la mémoire, il les modifie et les reconstruit en une synthèse personnelle. Il est le maître des associations d'idées, car il représente essentiellement un lien, un principe de relation universelle. Rien ne se modifie chez l'homme qui ne soit entraîné dans sa transformation par Mercure. Il donne à la personne le désir d'apprendre.

Péché capital de la planète Mercure: *l'envie*.

Type morphologique du Gémeaux

Le Gémeaux est mince, longiligne, svelte, sa ligne est souple, sa démarche aérienne, légère, irrégulière. Il est souvent petit. Ses traits sont fins et pointus. Son visage est allongé, son regard vif et intelligent. On peut remarquer une asymétrie du visage. Il s'exprime beaucoup avec ses mains et a souvent un petit côté excentrique dans sa tenue vestimentaire.

Profil du Gémeaux

C'est le curieux du zodiaque.

Premier signe d'Air, troisième signe du zodiaque. Signe masculin.

Le Gémeaux n'a pas d'acquis ni de maturité, c'est le premier signe d'Air jeune. C'est l'air qui se matérialise et qui pénètre le corps, c'est le mouvement «non naturel» pour l'air qui tend à s'élever, marquant la dualité du mouvement. Premier signe contestataire du zodiaque, il aime provoquer, c'est un joueur qui a un petit côté délinquant. Très habile, le Gémeaux a une grande capacité de synthèse. Son signe double le rend inconstant, instable, souvent déconcertant. Sa grande ouverture d'esprit attise sa curiosité naturelle. Il s'intéresse à beaucoup de choses sans toutefois approfondir, il commence sans terminer. Il manque souvent de concentration. Pressé d'apprendre et de connaître, il a besoin de mouvement et veut élargir ses horizons. Il déplace de l'air, parle beaucoup. Il a besoin de communiquer comme de respirer. Sa communication est rapide, ses mouvements saccadés (l'énergie va dans tous les sens). Il s'adapte facilement. Sa générosité est sans limites. Son pire ennemi: l'exercice.

L'art de vivre du Gémeaux

Le Gémeaux adore la nouveauté, les mondanités, les sorties. Pour ce courant d'air, la vie est un théâtre en mouvement perpétuel. Il a toujours beaucoup d'amis dans des milieux très disparates. Il s'adapte partout avec aisance. Pour lui, les contacts humains sont essentiels. Il est en général très sollicité. Fin causeur, gastronome, il n'est pas très sensuel, mais apprécie de goûter tout ce qui est nouveau et sort de l'ordinaire. C'est un touche-à-tout que la fantaisie séduit à tout coup. Le dernier endroit à la mode, il le connaît, et il préférera de loin manger au restaurant avec des gens que les recevoir chez lui. Mais quand il décide de vous recevoir, il n'hésite pas à mettre les petits plats dans les grands... et à vous servir sa dernière trouvaille. Fidèle à son signe, le Gémeaux adore parler, raconter, surprendre par ses anecdotes. Il fait souvent un très bon critique. Petit conseil d'amie: ne l'invitez jamais trop à l'avance, vous avez une chance sur deux qu'il soit passé à autre chose entre-temps.

Portrait type du Vin Gémeaux

C'est le vin imprévisible.

Le Vin Gémeaux est indiscutablement blanc. Il coule de source vive, échappe presque à toute description tant il est léger, filiforme et insaisissable. Il est nerveux, souple, vif, jeune. Le Vin Gémeaux est un vin charmeur, imprévisible, généreux et très volubile.

L'image type du Vin Gémeaux?

C'est le Vin nouveau par excellence, qu'il soit rouge ou blanc, comme un **Gamay** nouveau ou autres vins nouveaux.

Vins blancs Gémeaux

- ALIGOTÉ 1996, VIN DE PAYS DE LA DRÔME, BICHOT
  prix: 10,25 $ code: 439299   (R)   France

cépage:	ALIGOTÉ
caractéristiques:	sec, nerveux, léger, simple, franc, au fruité net de pomme verte
personnage:	un gamin dégourdi

- BIANCO DI TORGIANO 1996, CANTINE LUNGAROTTI
  prix: 10,70 $ code: 049205   (R)   Italie

cépage:	DOMINANTE TREBBIANO
caractéristiques:	sec, nerveux, léger, piquant, note d'agrume et de pomme
personnage:	une Juliette en attente de son Roméo

- CUVÉE DES AMOURS 1995, HUGEL
  prix: 13,95 $ code: 036582   (R)   France

cépage:	SYLVANER
caractéristiques:	bien sec, expressif, nerveux, léger avec une fraîche note herbacée
personnage:	un Casanova en culottes courtes

(R) = Produits réguliers • (S) = Produits de spécialité

Vins blancs Gémeaux (suite)

- CHÂTEAU DU CLÉRAY 1996, MUSCADET DE SÈVRE ET MAINE SUR LIE, SAUVION
  prix: 11,50 $ code: 167379   (R)   France

cépage:	MELON DE BOURGOGNE
caractéristiques:	bien sec, nerveux, simple, franc, d'un fruité pointu, direct
personnage:	un sauteur à la perche

- VINHO VERDE 1996, QUINTA DA AVELEDA
  prix: 9,70 $ code: 005322   (R)   Portugal

cépage:	ALVARINHO
caractéristiques:	très sec, vif, vibrant, il n'est que pur fruité à croquer
personnage:	un sprinter

- MUSCADET DE SÈVRE ET MAINE SUR LIE 1996, CHERREAU-CARRÉ
  prix: 12,70 $ code: 365890   (R)   France

cépage:	MELON DE BOURGOGNE
caractéristiques:	bien sec, nerveux, intense et fruité, il ne manque pas de concentration et de personnalité
personnage:	un danseur de ballet jazz

Vins rouges Gémeaux

- COL-DI-SASSO 1996
  prix: 11,80 $ code: 344655   (R)   Italie

cépage:	DOMINANTE SANGIOVESE
caractéristiques:	sec, léger, coulant, fruité simple, vivant
personnage:	un garçon de table

- DOMAINE DE GOURNIER 1996
  prix: 9,65 $ code: 365957   (R)   France

cépage:	GAMAY, MERLOT, SYRAH
caractéristiques:	sec, léger, charmeur, simple, coulant
personnage:	l'éternel adolescent

- DOMAINE DE LA CHARMOISE, GAMAY 1996, HENRI MARIONNET
  prix: 13,95 $ code: 329532   (R)   France

cépage:	GAMAY
caractéristiques:	sec, léger, souple, coulant, frais et brillant de tout son fruité
personnage:	le parfait épicurien

Vins rouges Gémeaux (suite)

- MÂCON 1996, J. DROUHIN
  prix: 12,90 $ code: 034025   (R)   France

cépage:	DOMINANTE GAMAY
caractéristiques:	sec, léger, friand, simple, coulant
personnage:	un livreur de journaux

- RAMPOLDI 1995
  prix: 11,90 $ code: 447318   (R)   Italie

cépage:	DOMINANTE SANGIOVESE
caractéristiques:	sec, léger, simple, fruité, vivant, un brin rustique
personnage:	un rêveur

Quel vin offrir à un Gémeaux?

Un vin qui l'intéresse immédiatement et qui peut soutenir son attention un peu plus longtemps que d'habitude, tel que cet intrigant **Collioure du Languedoc Roussillon** ou un profond **Palo Cortado d'Andalousie**.

Le Cancer

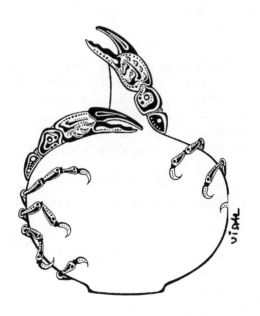

État de la nature à l'heure du Cancer

Le temps des longs jours.

Le soleil s'y trouve entre le 21 juin et le 21 juillet, période qui correspond au premier mois de l'été. On fête le solstice d'été. Le soleil atteint le sommet de sa course annuelle, c'est le jour le plus long de l'année. La lumière a eu raison des ténèbres. C'est à partir de ce moment-là que la durée du jour ira diminuant jusqu'au solstice d'hiver. Pour la nature, c'est la période de gestation intense.

Calendrier du vigneron en juillet

Le vigneron asperge régulièrement sa vigne pour prévenir les maladies éventuelles. Troisième désherbage. On taille les sarments qui sont trop longs pour que la vigne consacre toute son énergie au raisin. Si la nature est trop généreuse, on peut procéder à la vendange verte.

Dicton du vigneron en juillet

«Si juillet est beau, prépare les tonneaux.»

La Lune, planète maîtresse du Cancer

La Lune est le deuxième astre de vie. Elle est la Mère de tout ce qui vit. À l'image de la terre qui est le corps, la Lune représente le psychisme de la vie. La Lune est fécondée par le Père Soleil lors de chaque nouvelle lune. Au cours de son cycle de vingt-huit jours, la Lune nourrit la terre, qui nourrit la plante, qui nourrit l'homme. La Lune se rapporte à la personnalité féminine, extérieure ou intérieure, selon le sexe. Versatilité, changements rapides, inconstance et mouvements sont caractéristiques de la Lune, mais aussi le retour cyclique et la répétition à l'infini. En rapport avec le flux et le reflux (eau – sang – vin), la Lune est aussi le symbole de l'inconscient lui-même.

Péché capital de la planète Lune: *la paresse*

Type morphologique du Cancer

Le Cancer est rond, ses traits sont arrondis, il a un visage lunaire. Les yeux sont doux et rêveurs, le regard est terne, il a de petites oreilles bien dessinées et des cheveux fins. Il a quelque chose de lent et d'apathique dans le corps. Il se déplace avec hésitation.

Profil du Cancer

C'est le rêveur du zodiaque.

Premier signe d'Eau, quatrième signe du zodiaque. Signe féminin.

C'est le plus physique des signes d'eau. Son symbole signifie les eaux descendantes et ascendantes, les vagues de la vie, l'angoisse existentielle; c'est l'entrée dans la matière et le retour vers la source, le symbole de tout ce qui nourrit, materne, enveloppe, protège. C'est le plus complexe et le plus nuancé des douze signes du zodiaque. Le Cancer est très changeant et pas toujours facile à vivre. Difficile pour lui de trouver ses racines et son identité. Il capte et absorbe tout comme une éponge, sans trop savoir ce qu'il ressent. C'est le premier signe à avoir une très forte intériorité, à être très émotif. Il doit prendre le temps de sentir les choses avant de se décider. Il a souvent tendance à se tourner vers le passé. Son rapport avec la nourriture est important (il peut manger ses émotions), une nourriture de choix pour alimenter son imaginaire et son côté créatif et rêveur. C'est un actif nonchalant (actif intérieurement, passif extérieurement). Cet être brillant est doté d'une bonne mémoire, est curieux de nature, mais n'approfondit pas toujours son sujet. On apprécie son naturel, sa fraîcheur d'âme, sa spontanéité et son dévouement. Il est sensible et très sociable.

L'art de vivre du Cancer

Chez ce signe dont la Lune régit la vie, les valeurs essentielles tournent autour de la maison, de la nourriture et des bons vins. Il n'est donc pas étonnant de le retrouver dans des professions comme la restauration ou l'hôtellerie. Chez lui, on manque rarement de victuailles. Son intérieur est douillet et enveloppant, les canapés sont moelleux. Sa vie est rythmée par la famille et les repas. Sa façon à lui de vous montrer son affection est de vous offrir à boire et à manger. Il a le cœur sur la main et une mentalité de «mère poule». Il couve famille et amis. En général, il est raffiné et aime le bon et le beau. Le Cancer a le don de l'intimité. Avec lui, on se sent tout de suite à l'aise, et en confiance. Si vous l'emmenez dîner, évitez les restos de type hall de gare, privilégiez plutôt ceux qui sont intimes. Être invité chez un Cancer est un plaisir que l'on n'oublie pas. Il met les petits plats dans les grands, la nourriture est recherchée, et il aura sûrement mitonné votre plat préféré. Il vous entoure, vous bichonne... laissez-le faire. C'est son plaisir. N'oubliez surtout pas de lui téléphoner le lendemain pour le remercier et le rassurer sur sa cuisine.

Son péché mignon: dormir. C'est le signe le plus pantouflard du zodiaque.

Portrait type du Vin Cancer

C'est le vin gourmet.
Le Vin Cancer est blanc, pas très coloré et fragile. Mais qu'il soit blanc, rouge, moelleux ou mousseux, il sera toujours d'un naturel désarmant et d'une délicatesse qui en dit long sur sa personnalité. Il est brillant, frais et spontané. Sa texture, par exemple, atteint un niveau d'exception, caressant sur son passage le moindre bourgeon gustatif rébarbatif. Il pave la voie à la rondeur, invitant au rêve et, pourquoi pas, à la volupté.

L'image type du Vin Cancer?
Un **moelleux de la Vénitie italienne.**

Vins Cancer

Vins blancs Cancer

- CHÂTEAU GRAND MOULIN 1996, CORBIÈRES, JEAN-NOËL BOUSQUET
  prix: 9,95 $ code: 392035   (R)   France

  cépage: DOMINANTE GRENACHE BLANC
  caractéristiques: sec, frais, rond, au fruité suave, mûr et équilibré
  personnage: une championne d'escrime

- CHARDONNAY CHAIS BAUMIÈRES 1994
  prix: 11,85 $ code: 355362   (R)   France

  cépage: CHARDONNAY
  caractéristiques: rond, jeune, exotique, vivant, simple
  personnage: un chasseur de kangourous

- DOMAINE DES HOURTETS 1995
  prix: 9,90 $ code: 347567   (R)   France

  cépage: DOMINANTE MAUZAC
  caractéristiques: sec, frais, vivant, simple et savoureux avec ses notes de pomme fraîche
  personnage: un parachutiste

(R) = Produits réguliers • (S) = Produits de spécialité

Vins blancs Cancer (suite)

- JACKSON-TRIGGS CHARDONNAY 1995
  prix: 9,55 $ code: 328518   (R)   Canada

cépage:	CHARDONNAY
caractéristiques:	sec, léger, frais, rond, simple, coulant, boisé
personnage:	une recherchiste branchée

- ORVIETO CLASSICO CAMPOGRANDE 1996, MARCHESE ANTINORI
  prix: 11,95 $ code: 018838   (R)   Italie

cépage:	TREBBIANO
caractéristiques:	incolore, sec, léger, frais, rond
personnage:	une danseuse de ballet classique

- POMINO 1995, MARCHESE DE FRESCOBALDI
  prix: 13,75 $ code: 065086   (R)   Italie

cépage:	PINOT BLANC / CHARDONNAY
caractéristiques:	sec, frais, léger, parfumé, rond
personnage:	un jeune homme distingué qui a gardé toute sa naïveté

- SOAVE CLASSICO SUPERIORE SAN VINCENZO 1995, ANSELMI
  prix: 15,40 $ code: 098996   (R)   Italie

cépage:	GARGANEGA
caractéristiques:	sec, frais léger, suave et caressant, avec de belles notes florales et fruitées
personnage:	un prétendant dans de beaux draps

Vins blancs Cancer (suite)

- 1725 BARTON & GUESTIER 1996
  prix: 11,90 $ code: 286146   (R)   France

cépage:	DOMINANTE SÉMILLON
caractéristiques:	rond, coulant, frais, fruité et classique
personnage:	un trapéziste

Vins rosés Cancer

- PÉTALE DE ROSE 1996, CÔTES DE PROVENCE
  prix: 14,90 $ code: 425496   (R)   France

cépage:	GRENACHE / CINSAUT
caractéristiques:	sec, léger, fragile, tendre, aromatique
personnage:	une précieuse

- ALIZÉE 1996, CÔTES DU ROUSSILLON
  prix: 9,75 $ code: 475830   (R)   France

cépage:	GRENACHE / CINSAUT
caractéristiques:	sec, rond, frais, vineux, généreux
personnage:	un intrigant

Vins rouges Cancer

- PINOT NOIR 1996 LAROCHE
  prix: 10,95 $ code: 309286   (R)   France

cépage:	PINOT NOIR
caractéristiques:	sec, léger, rond, charmeur, coulant
personnage:	un jongleur

- ROI DE ROME 1995, LA CASINCA
  prix: 10,90 $ code: 430496   (R)   France

cépage:	DOMINANTE NIELLUCCIO
caractéristiques:	sec, léger, coulant, un rien épicé, au bon goût de fruits secs
personnage:	un chasseur de nuit

- SAVEURS OUBLIÉES 1996, CORBIÈRES
  prix: 9,75 $ code: 476770   (R)   France

cépage:	GRENACHE, CARIGNAN, SYRAH
caractéristiques:	sec, souple, fondant, simple, naturel
personnage:	un stagiaire en vacances

- CANON DU MARÉCHAL 1995, CAZES
  prix: 10,65 $ code: 276154   (R)   France

cépage:	MERLOT/GRENACHE/SYRAH
caractéristiques:	sec, frais, léger, souple, équilibré
personnage:	un fantassin

Vins rouges Cancer (suite)

- NOTTAGE HILL CABERNET-SAUVIGNON
  SHIRAZ 1996, HARDYS
  prix: 12,15 $ code: 283440   (R)   Australie

  cépage: CABERNET-SAUVIGNON/ SHIRAZ
  caractéristiques: sec, souple, léger, coulant, épicé,
                         simple
  personnage: un enquêteur tenace

☆

Quel vin offrir à un Cancer?

Des **Champagnes de repas**, pleins, vineux et
savoureux, qui sauront enrichir ces moments
précieux qu'il aime partager avec vous.

Le Lion

État de la nature à l'heure du Lion

Le temps de la maturité.

Le soleil s'y trouve entre le 21 juillet et le 21 août, période qui correspond au second mois de l'été. Le soleil arrive à son plus haut point, mais, en même temps, commence à descendre. C'est le règne de la plénitude de la saison d'été, de la lumière et de la chaleur. La nature connaît son temps de maturité et produit ses plus beaux fruits.

C'est la période de la moisson, de la récolte qui chante la gloire de la création toujours recommencée, de la générosité du créateur prodiguant la richesse de la nature. Il ne peut y avoir de récolte sans travail préalable.

Calendrier du vigneron en août

Le vigneron continue à désherber et à lier ses sarments. On assiste à la véraison du raisin noir. On en profite pour veiller à l'entretien en général, à la préparation des fûts, au nettoyage des cuves et à la préparation du matériel de vendange.

Dicton du vigneron en août

«Août pluvieux, celliers vineux.»

Le Soleil, planète maîtresse du Lion

Le Soleil est le premier astre de vie, le second est la Lune. Seul le Soleil détermine le signe de naissance. Pour l'astrologue, cette situation solaire correspond à la situation de l'homme par rapport à l'existence et au monde. Le Soleil et la Lune servent de polarisation de l'énergie du haut vers le bas, vers la Terre. Toutes les planètes de notre système sont des vecteurs d'énergie et tournent autour du Soleil. Le Soleil est le Père de tout ce qui vit. Il est symbole de vie, de chaleur, du jour, de la lumière, de l'autorité, du sexe masculin et de tout ce qui rayonne. Toute influence des signes du zodiaque est d'essence solaire. En tant que symbole cosmique, le Soleil tient lieu de véritable religion astrale, dont le culte domine les anciennes grandes civilisations, avec les figures des dieux-héros géants, incarnations des forces créatrices, et de la source vitale de la lumière et de chaleur que l'astre représente. Le dieu Soleil est la divinité suprême, celle qui gouverne toutes les autres.

Péché capital de la planète Soleil: *l'orgueil*

Type MORPHOLOGIQUE du Lion

Le Lion est grand, lumineux, magnétique et rayonnant. Ses cheveux sont souvent abondants et forts. Son teint est coloré, et ce sont ses yeux très expressifs qui frappent en premier dans son visage. Il a de la classe, du style, de la vitalité. On reconnaît un Lion à son air chevaleresque et fier.

Profil du Lion

C'est l'artiste solaire du zodiaque.
Deuxième signe de Feu, cinquième signe du zodiaque. Signe masculin.

Le Lion est un être sympathique qui a le cœur sur la main. C'est le feu du cœur. Il ne peut passer inaperçu. Timide ou flamboyant, il reste toujours inquiet de son image; c'est le côté théâtral de cet artiste solaire. Il a besoin d'un public, d'une cour, pour briller et partager son expérience. Dominateur doté d'une intelligence claire, souple, brillante, d'un bon esprit de synthèse et d'une volonté de fer, il est souvent le chef. C'est un bourreau de travail. Il est original et créateur. Cet être enflammé ne peut vivre sans passion. On le dit impulsif, énergique, résistant, courageux et endurant. De nature peu souple, il est droit, loyal, mature, entêté, impatient, colérique. Il déteste la vulgarité. L'orgueil fait partie de ses menus défauts, il supporte mal la critique et surtout pas devant les autres. Mais si on sait le prendre par les sentiments, il se montre compréhensif.

L'art de vivre du Lion

La vie mondaine lui plaît énormément. Son sens inné du théâtre le propulse à la première place, car il aime être la vedette, évidemment. Il adore être vu en compagnie de gens «biens». Quand il arrive à décrocher de son travail, proposez-lui toutes les activités avec décorum pour qu'il puisse y être remarqué, et vous aurez là votre plus fidèle allié. Il a horreur de sortir seul et si vous décidez de l'accompagner, vous ne serez pas déçu. Quel que soit son milieu de naissance, ses manières sont souvent aristocratiques. Il a une classe naturelle! Son allure est élégante, son apparence en général est soignée. Il adore s'habiller et sait être original pour qu'on le remarque. Il recherche avant tout le meilleur, y compris à table. La nourriture se doit d'être raffinée, bien présentée et les vins

doivent être à la hauteur. Évitez avec lui les portions «nouvelle cuisine»; son fameux coup de
fourchette n'y résisterait pas, et sa bonne
humeur non plus.

Portrait type du Vin Lion

C'est le vin généreux.
Vous avez dit royal? Le Vin Lion l'est à plus d'un titre. À commencer par sa couleur bien rouge. Que ce soit par son tonus et sa charpente naturels ou par sa puissance, le Vin Lion est aristocratique, brillant, expressif et loyal. Sa concentration et sa bonne maturité évitent à tout coup lourdeur et vulgarité. La classe innée du Vin Lion intéressera tout autant les gourmets que les esthètes-gourmands. À rugir d'aise et de contentement! Sans rougir pour autant.

L'image type du Vin Lion?
L'**Amarone** ou un **Recioto della Valpolicella**.

Vins blancs Lion

- GENTIL «HUGEL» 1996
  prix: 14,95 $ code: 367284   (R)   France

cépage:	GEWÜRZT./ SYLVANER, ETC.
caractéristiques:	sec, rond, fruité, exotique sur finale fraîche et légèrement amère
personnage:	un séducteur-né

- GEWÜRZTRAMINER RESERVE 1996, DOPFF & IRION
  prix: 16,55 $ code: 024471   (R)   France

cépage:	GEWÜRZTRAMINER
caractéristiques:	plutôt sec, intense et affirmé sur un ensemble épicé et exotique
personnage:	en voilà un qui sait capter et retenir votre attention!

Vin de liqueur Lion

- REYNAC PINEAU DES CHARENTES
  prix: 16,95 $ code: 101394   (R)   France

cépage:	UGNI BLANC, SAUVIGNON, ETC.
caractéristiques:	chaud, sensuel, libre, agile, élégant
personnage:	un danseur de tango

(R) = Produits réguliers • (S) = Produits de spécialité

Vins rouges Lion

- CHÂTEAU DE CRUZEAU 1994
  PESSAC-LÉOGNAN, LURTON
  prix: 20,45 $ code: 113381   (R)   France

cépage:	DOMINANTE CABERNET-SAUVIGNON
caractéristiques:	sec, large, massif, structuré, coloré, boisé
personnage:	un dompteur de fauves

- COUSINO-MACUL ANTIGUAS RESERVAS
  CABERNET-SAUVIGNON 1994
  prix: 15,25 $ code: 212993   (R)   Chili

cépage:	DOMINANTE CABERNET-SAUVIGNON
caractéristiques:	sec, coloré, complexe, puissant, charnu
personnage:	un motard

- VILLA ANTINORI 1994, CHIANTI CLASSICO
  RISERVA, MARCHESI ANTINORI
  prix: 17,75 $ code: 053876   (R)   Italie

cépage:	DOMINANTE SANGIOVESE
caractéristiques:	sec, coloré, charpenté, qui a du nerf et de l'étoffe sur une trame de fruité de cerise très pur
personnage:	un architecte

Vins rouges Lion (suite)

- SERÈGO ALIGHIERI 1994, MASI
  prix: 13,90 $ code: 447326   (R)   Italie

cépage:	DOMINANTE CORVINA
caractéristiques:	sec, souple, d'une étoffe luisante, frais, floral et fruité
personnage:	Madame Claude

- CABERNET-SAUVIGNON 1992 GALLO SONOMA
  prix: 16,90 $ code: 354272   (R)   États-Unis

cépage:	DOMINANTE CABERNET-SAUVIGNON
caractéristiques:	coloré, sec, opulent, charnu, tannique, fruité
personnage:	un maître de cérémonie

Vin doux naturel Lion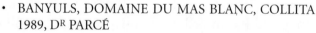

- BANYULS, DOMAINE DU MAS BLANC, COLLITA 1989, DR PARCÉ
  prix: 38 $ code: 449298   (S)   France

cépage:	GRENACHE NOIR
caractéristiques:	moelleux, ample, profond, complexe, long en bouche
personnage:	Zorro

Porto Lion

- PORTO VINTAGE 1994, FERREIRA
  prix: 37,75 $ code: 157602   (S)   Portugal

cépage:	DOMINANTE TOURIGA NACIONAL
caractéristiques:	le style portugais dans ce qu'il a d'élégant, de profond, de mûr, mais sans l'opulence sucrée des portos de style anglais
personnage:	un juge à la retraite

☆

Quel vin offrir à un Lion?

Un vin qui a un pedigree, une réputation derrière lui, comme une majestueuse **Côte Rôtie**, un grand **Pommard** ou un onctueux **Meursault**.

La Vierge

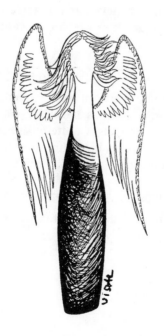

État de la nature à l'heure de la Vierge

Le temps de la récolte.

Le soleil s'y trouve entre le 21 août et le 21 septembre, période qui correspond au troisième mois de l'été (se situe avant l'équinoxe d'automne). La nature offre ses fruits à tous. Après la terre nourricière grasse et humide du Taureau, la terre de la Vierge symbolise la terre d'automne desséchée par le soleil, épuisée par les moissons. Les épis sont couchés en attendant que le grain sec se détache de son enveloppe et de sa tige. Le cycle végétal s'achève sur une terre nouvelle, à nouveau vierge, et se prépare ainsi au prochain cycle de fécondation.

Calendrier du vigneron en septembre

C'est le moment crucial où le vigneron souhaite que la pluie ne soit pas au rendez-vous. On vendange dès que le raisin a atteint sa maturité. On éclaircit la vigne et, bien sûr, on souhaite que le temps soit beau.

Dicton du vigneron en septembre

«Septembre humide, pas de tonneaux vides.»

Mercure, planète maîtresse de la Vierge

Mercure est un dieu polyvalent: messager des dieux, commerçant, souple, insinuant, rapide, leste, nerveux, il sait prendre mille formes et parler toutes les langues. Mercure joue un rôle capital dans la vie psychique de l'homme. Agissant sur les faits conservés par la mémoire, il les modifie et les reconstruit en une synthèse personnelle. Il est le maître des associations d'idées, car il représente essentiellement un lien, un principe de relation universelle. Rien ne se modifie chez l'homme qui ne soit entraîné dans sa transformation par Mercure. Il donne à la personne le désir d'apprendre.

Péché capital de la planète Mercure: *l'envie.*

Type MORPHOLOGIQUE de la Vierge

Long, mince, anguleux, son teint est pâle, ses cheveux sont minces et ses yeux souvent pâles et intelligents. Il a un large front, les hanches étroites, le nez fin et long. La tête semble plus altière que le reste du corps.

Profil de la Vierge

C'est le perfectionniste du zodiaque.
Deuxième signe de Terre, sixième signe du zodiaque. Signe féminin.

Après le Taureau, c'est la terre plus nerveuse. Symbole du travail, de la conservation, de la purification, la Vierge est perfectionniste, minutieuse, travailleuse, attentive mais tout à la fois craintive, tendue et anxieuse. La Vierge a besoin de concret, de preuves. Elle doute et spécule. Sa tendance à s'arrêter aux petits détails la rend souvent maniaque. Elle a besoin d'apprendre, de creuser pour se sécuriser et de compenser par l'intellect. Elle aborde tout avec une logique cartésienne plus qu'avec un esprit d'analyse qui ne laisse pas beaucoup de place à l'imagination et à la fantaisie. Elle sera très souvent spécialiste dans plusieurs domaines, car elle est très douée et adore apprendre. Sa curiosité d'esprit et sa bonne mémoire ne pourront ici que lui être utiles. Mesurée, méthodique, précise, habile, efficace, elle fait preuve d'un grand sens de l'organisation. Plutôt timide et pudique, la Vierge a de la difficulté à exprimer ses émotions; elle doit faire le lien corps-émotions. Elle a beaucoup de ressources et se tire souvent bien d'affaire en cas de crise. Elle est dévouée plus que généreuse.

L'art de vivre de la Vierge

Nous rencontrons ici la perfection, ou tout du moins un très grand désir de perfection. Et comme celle-ci n'existe pas, la Vierge a du mal à se laisser aller et à jouir de la vie. C'est le cas typique de l'épicurien cérébral. Comme le bon vin, il faut lui laisser quelques années de vieillissement, car, après la trentaine, les choses s'améliorent. Elle se décontracte avec l'âge et devient plus sûre d'elle... et plus ouverte. C'est une pince-sans-rire qui a la citation facile et aime faire son petit effet en société. Effet souvent réussi d'ailleurs, car elle a un véritable sens du «timing». Soucieuse de sa santé, la Vierge est toujours très attentive à ce qu'elle mange et à ce qu'elle boit, à la limite parfois de l'obsession.

Elle aime son petit confort personnel et choisira avec la même attention son restaurant et la bouteille de sa cave qu'elle se constitue méthodiquement.

Portrait type du Vin Vierge

C'est le vin précieux.

Le Vin Vierge est plutôt rouge, discret, nerveux, raffiné, svelte et sage. À ce point qu'il dit souvent jusqu'où-ne-pas-aller-trop-loin, de peur de perdre son goûteur et de ne pas être compris. Il s'inscrit donc dans des balises précises, parfois trop rigoureuses et «intellectuelles», mais où la finesse est toujours présente.

L'image type du Vin Vierge?
Un **Pinot noir** ou un **Chasselas de Savoie**.

Vin blanc Vierge

- LA BOUVERIE 1995
  prix: 9,40 $ code: 304790   (R)   France

cépage:	DOMINANTE GRENACHE BLANC
caractéristiques:	sec, frais, vivant, précis, fruité
personnage:	un guitariste sud-américain

Vin de liqueur et vin doux naturel Vierge

- CHÂTEAU DE BEAULON, VIEILLE RÉSERVE OR 10 ANS PINEAU DES CHARENTES
  prix: 28,85 $ code: 074633   (S)   France

cépage:	SAUVIGNON/SÉMILLON
caractéristiques:	fin, moelleux, complexe, profond, long en bouche
personnage:	un gentleman farmer

- MUSCAT DE RIVESALTES 1995, CAZES
  prix: 24,70 $ code: 961805   (S)   France

cépage:	MUSCAT
caractéristiques:	moelleux, fin, suave, intense, stylé
personnage:	un conteur d'histoires

(R) = Produits réguliers • (S) = Produits de spécialité

Vins rouges Vierge

- COSME PALACIO Y HERMANOS 1995,
  BODEGAS PALACIO
  prix: 15,10 $ code: 237834   (R)   Espagne

cépage:	DOMINANTE TEMPRANILLO
caractéristiques:	sec, souple, frais, moyennement corsé et aux saveurs rebondies, longues et lisses
personnage:	une fée qui a pris de l'embonpoint

- CHÂTEAU DE LA TOUR BORDEAUX 1994
  prix: 17,30 $ code: 442392   (R)   France

cépage:	DOMINANTE CABERNET
caractéristiques:	sec, équilibré, civilisé, fruité net, classique
personnage:	un brillant avocat

- DOMAINE DE LA RENJARDE 1995,
  CÔTES-DU-RHÔNE VILLAGES
  prix: 13,95 $ code: 303537   (R)   France

cépage:	SYRAH/GRENACHE
caractéristiques:	simple, sec, souple, coulant, frais, précis, parfumé à la violette, prune et mûre
personnage:	un pince-sans-rire

Vins rouges (suite)

- GRAN FEUDO 1993, BODEGAS JULIAN CHIVITE
  prix: 11,60 $ code: 176768   (R)   Espagne

cépage:	DOMINANTE TEMPRANILLO
caractéristiques:	sec, léger, frais, coulant, aromatique et équilibré
personnage:	un artiste du cerf-volant

- ROSSO DI MONTALCINO 1995, CAMPO AI SASSI
  prix: 14,80 $ code: 201855   (R)   Italie

cépage:	BRUNELLO
caractéristiques:	sec, souple, de concentration moyenne, avec des saveurs fraîches de cerise, de noyau et d'épice
personnage:	un seigneur sans ses serfs

- SAVEURS OUBLIÉES 1995, CÔTES DU ROUSSILLON
  prix: 9,60 $ code: 448498   (R)   France

cépage:	DOMINANTE GRENACHE NOIR
caractéristiques:	sec, léger, souple, épicé, facile
personnage:	un tanneur du Moyen Âge

- SAINT-CHINIAN CLOS BAGATELLE
  CUVÉE TRADITION 1996
  prix: 11,40 $ code: 446153   (R)   France

cépage:	DOMINANTE GRENACHE NOIR
caractéristiques:	sec, frais, élégant, bien élevé, saveurs nettes
personnage:	un arpenteur-géomètre

Quel vin offrir à une Vierge?

Vous pourrez lui offrir des vins originaux, peu accessibles de prime abord, mais qu'elle s'emploiera avec délice et passion à fouiller et à découvrir. Ce pourrait être un **Riesling Grand Cru**, comme un grand **Brunello** ou un somptueux **Hermitage blanc**.

La Balance

État de la nature à l'heure de la Balance

Le temps des feuilles mortes.

Le soleil s'y trouve entre le 21 septembre et le 21 octobre, période qui correspond au premier mois de l'automne. C'est l'équinoxe d'automne. Ralentissement de la vie, disparition progressive des formes, signe que la nature est à nouveau prête à se reposer.

Signe que l'équilibre réalisé par la Balance est d'une durée limitée, car la décrépitude guette tout ce qui a pris naissance. Le jour qui diminue peu à peu a ici la même durée que la nuit. C'est le tout début de l'intériorisation des énergies.

Calendrier du vigneron en octobre

C'est la fin des vendanges. Tout le monde s'active dans les chais. On procède à la cuvaison des moûts, on laisse les fermentations suivre leur cours.

Dicton du vigneron en octobre

«Tonnerre d'octobre, vendanges peu sobres.»

Vénus, planète maîtresse de la Balance

Vénus est la déesse de l'amour et de la beauté, donc, par extension, de l'art et de la volupté.Elle est au cœur des impulsions amoureuses et de toutes les tendances qui poussent l'être humain vers son semblable. On ne peut la dissocier de Mars: l'amour et la guerre ne sont sans doute que les deux aspects d'une même réalité. L'instinct sexuel, l'attrait du beau, l'enthousiasme, la ferveur et l'union mystique, la recherche de l'unité et de la fécondité prennent naissance dans le «centre d'énergie», dans le «noyau» vénusien. Vénus symbolise aussi l'imagination: mère des êtres vivants par l'union des sexes, elle est aussi créatrice sur le plan spirituel. Elle incite à l'amour, à ses joies, à ses difficultés et à ses peines. Elle incline aux plaisirs de l'existence, mais ne reste pas toujours modérée: elle peut devenir brûlante, conquérante et passionnée.

Péché capital de la planète Vénus: *la luxure*

Type MORPHOLOGIQUE de la Balance

La Balance a un corps vénusien tout en fossettes et en rondeurs, un corps bien proportionné. Le visage est aimable et doux, le nez est charnu, les yeux sont grands, brillants et beaux, les hanches sont pulpeuses et les cheveux souvent ondulés.

Profil de la Balance

C'est le séducteur du zodiaque.

Deuxième signe d'Air, septième signe du zodiaque. Signe masculin.

Avec la Balance, l'air est plus profond, plus émotif, plus incarné, plus proche des autres. Un air qui recherche la stabilité et l'équilibre entre les forces naturelles et surnaturelles, entre l'humain et le divin, entre l'intérieur et l'extérieur. C'est la recherche de la rondeur. La Balance aime plaire, aimer, être aimée, former un couple, fusionner. La séduction de la Balance est existentielle. L'amour et l'amitié sont les pivots de sa vie. Sa sensualité est subtile, raffinée. Elle est très sociable, a du charme, est romantique et sentimentale. Elle est conciliante, car elle déteste les affrontements et les conflits; il lui est difficile de trancher, de dire non, ce qui entraîne une certaine raideur. C'est le premier signe qui soit en contact avec l'autre, ce qui explique sa jeunesse sur le plan relationnel: elle doute dans ses relations et a souvent de la difficulté à choisir les bonnes personnes. Le «moi» de la Balance se définit à travers les autres. Elle remet les autres plus souvent en question qu'elle-même, mais lorsqu'elle arrive à trouver son équilibre, elle devient très créatrice et apporte beaucoup de beauté autour d'elle. Elle a besoin d'agir et de se sentir utile; elle fait souvent des liens.

L'art de vivre de la Balance

Si vous cherchez un digne ambassadeur à votre table, vous l'avez trouvé. Mais prenez-vous-y à l'avance, car son agenda déborde d'invitations à dîner ou à sortir. Sociable, raffinée, diplomate, la Balance excelle dans les rapports humains. Elle a beaucoup d'amis. L'individu est charmant, souvent séducteur, sensuel et toujours élégant. Son sens de la beauté et de l'esthétique est très développé. Tout doit être harmonieux et équilibré autour de lui. Recevez votre Balance en pleine brouillerie ou dans un endroit hideux et vous venez de la perdre. Son plaisir est souvent d'être la créatrice, l'instigatrice d'encore plus de beauté, y compris à sa table où elle sélectionnera stratégiquement ses invités. C'est une hôtesse exceptionnelle qui vous recevra à merveille, avec une attention particulière pour chacun. Quand vous recevez une Balance à votre table, n'hésitez pas, sortez l'argenterie et les verres en cristal, allumez les bougies. Aucun détail ne doit clocher. Les mets seront raffinés (mais légers), les grands crus seront au rendez-vous, et la présentation sera soignée. Vous l'enverrez tout droit au septième ciel.

Portrait type du Vin Balance

C'est le vin idéal.

Le Vin Balance, qu'il soit blanc ou rouge, est toujours tiré à quatre épingles et franchement séducteur. Il est rond, charnu, d'une grande finesse, généreux et loyal, d'une nature plutôt accessible de prime abord. Il possède en plus le tact, l'élégance naturelle et le souci du détail que seuls les vins harmonieux et complets peuvent offrir.

L'image type du Vin Balance?

Un **champagne brut** sans année d'une excellente maison.

Vins Balance

Vins blancs Balance

- CHABLIS 1996, HENRI LAROCHE
  prix: 19,95 $ code: 114223   (R)   France

cépage:	CHARDONNAY
caractéristiques:	sec, frais, élégant, pur, typé et sans concession
personnage:	une ostréicultrice en herbe

- CHARDONNAY 1995, BARON PHILIPPE DE ROTHSCHILD
  prix: 10,65 $ code: 407528   (R)   France

cépage:	CHARDONNAY
caractéristiques:	sec, léger, rond, simple et fruité
personnage:	un amoureux de la nature

- SAINT-VÉRAN 1996, GEORGES DUBŒUF
  prix: 15,80 $ code: 134742   (R)   France

cépage:	CHARDONNAY
caractéristiques:	sec, frais, rond, coulant, substantiel et débordant d'un fruité de belle maturité
personnage:	un romancier à succès

(R) = Produits réguliers • (S) = Produits de spécialité

Champagne Balance

- POL ROGER
  prix: 39,50 $ code: 051953   (R)   France

cépage:	CHARDONNAY/ PINOT NOIR
caractéristiques:	fin, détaillé, subtil, aérien et distingué
personnage:	un aristocrate en tenue de jogging

Vins rouges Balance

- BEAUJOLAIS-VILLAGES 1995, LOUIS JADOT
  prix: 13,95 $ code: 365924   (R)   France

cépage:	GAMAY
caractéristiques:	sec, souple, friand, rond et d'une saine expression fruitée
personnage:	un éternel optimiste

- BEAUNE 1ER CRU 1990 PATRIARCHE P & F
  prix: 25,80 $ code: 468157   (R)   France

cépage:	PINOT NOIR
caractéristiques:	sec, fondu, tertiaire, tendre, réglissé, aromatique, prêt à boire
personnage:	une vieille dame indigne

- BOURGOGNE, PINOT NOIR DE VIEILLES VIGNES 1995, ANTONIN RODET
  prix: 15,90 $ code: 358606   (R)   France

cépage:	PINOT NOIR
caractéristiques:	sec, souple, frais, avec de jeunes tanins fruités qui lui confèrent dynamisme et vitalité
personnage:	un journaliste à l'affût du scoop

Vins rouges Balance (suite)

* BOURGOGNE 1995 FAIVELEY
  prix: 19,05 $ code: 142448   (R)   France

cépage:	PINOT NOIR
caractéristiques:	sec, souple, harmonieux, bien dessiné, étoffé
personnage:	Roméo (celui de Vérone)

* BRENTINO 1995, BREGANZE ROSSO, MACULAN
  prix: 14,85 $ code: 430512   (R)   Italie

cépage:	DOMINANTE CABERNET-FRANC
caractéristiques:	sec, souple, léger, bien dessiné et au fruité harmonieux
personnage:	un gentleman entreprenant

☆

Quel vin offrir à la Balance?

Des vins qui la déstabiliseront juste assez pour lui donner le goût de les découvrir. Pourquoi pas un **blanc** unique du **Frioul italien**, un **Vin de Paille du Jura** ou un autre d'**Hermitage**?

Le Scorpion

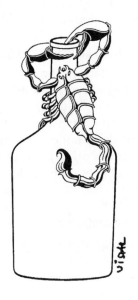

État de la nature à l'heure du Scorpion

Le temps du gel.

Le soleil s'y trouve entre le 21 octobre et le 21 novembre, période qui correspond au deuxième mois de l'automne. La nuit prend désormais le pas sur le jour. C'est le temps de la chute des feuilles dont la pourriture servira de protection et d'engrais à la terre pendant tout l'hiver. Les forces destructrices sont pleinement à l'œuvre au sein de la nature, la vie quitte sa forme extérieure pour se recroqueviller et se mettre à nu. L'ardeur vitale ne s'éteint pas, l'humus va préparer la naissance de nouveaux végétaux.

Calendrier du vigneron en novembre

Après les fermentations, on procède généralement à l'écoulage (séparation du vin du moût) et, quelques semaines plus tard, au premier soutirage (séparation du vin des lies). C'est également le début de la taille des longs bois (sarments de vigne); on achève la fumure, on laboure le vignoble et on butte les ceps pour les protéger du gel.

Dicton du vigneron en novembre

«À la Saint-Martin, tire ton vin.»

Pluton, planète maîtresse du Scorpion

Maître des forces souterraines, on attribue à Pluton une symbolique agricole très marquée. Maître des Enfers (sous la terre), il enleva Proserpine (symbole de la végétation qui disparaît et apparaît de terre) pour en faire sa femme et la reine des morts. À l'image de la graine qui retourne en terre à certaines périodes pour faire ses forces et renaître, l'individu renaîtra de ses retours fructueux sur lui-même, de ses recharges d'énergie. C'est ainsi que se fait le passage à un autre plan d'évolution. En rapport avec le monde terrestre, Pluton commande la part inconsciente de l'être.

Péché capital de la planète Pluton: *l'orgueil*

Type morpHoloɡiφuE du Scorpion

Le corps est musclé et puissant, les yeux sont très sombres et très intenses. Les cheveux sont souvent noirs et raides. Le visage est fort, les os sont saillants, et souvent le menton est carré. Petit ou grand, le Scorpion dégage force et sensualité, voire sexualité. Il a un fort magnétisme et il a de la présence, une présence qui dérange et rend parfois mal à l'aise.

Profil du Scorpion

C'est l'alchimiste du zodiaque.

Deuxième signe d'Eau, huitième signe du zodiaque. Signe féminin.

Ce signe symbolise les eaux froides, troubles, stagnantes, profondes et silencieuses, symboles de la mort et de la fermentation. C'est le temps où tout se putréfie pour renaître. Voilà un signe très en rapport avec la charge psychique du passé.

La force du Scorpion est sa pulsion de vie et de mort. Il est toujours sur la corde raide entre ces deux pôles, ce qui le rend à la fois fort et vulnérable. Malgré ses sources d'angoisse, cela lui donne sans conteste du caractère, de la personnalité, et surtout une aura de mystère qui en fait un séducteur hors pair. Il a besoin de solidité et de sécurité matérielle, et il s'en donne les moyens. Cet être passionné est un battant, un endurci. Il a le goût du pouvoir, une volonté de fer, une intelligence pénétrante. C'est un fin psychologue, réfléchi, toujours maître de lui et très perspicace. Un vrai stratège. Difficile d'être son interlocuteur. Insondable, il a une forte carapace. Tant qu'il ne sent pas, il ne s'ouvre pas. Il fait preuve de peu de souplesse. On le dit autoritaire, conservateur, orgueilleux. Il vit un face-à-face constant avec lui-même et les autres dont il ne tolère pas la faiblesse. Le Scorpion a un grand besoin d'absolu.

L'art de vivre du Scorpion

Intensité et charisme puissant marquent la vie du Scorpion. Ce signe a besoin de passion pour vivre. Ses sens sont toujours exacerbés. Le Scorpion aborde donc la vie et ses plaisirs de front, quelquefois durement, sans compromis. Avec lui, tout est blanc ou noir, parfois rouge, mais jamais gris. Il ne fait rien à moitié. Il est le plus souvent à la recherche de sensations fortes, de nouveautés. Présentez-lui alcools forts, vins corsés, mets épicés, charcuteries, une nourriture du terroir généreuse et riche, et vous ne vous tromperez pas. C'est une fine gueule qui sait repérer les bons restaurants. Une bonne table lui permet de se détendre et de se relaxer. Il en profite pour séduire (il a constamment besoin de vérifier si son charme opère) ou pour brasser des affaires. En public, il fait jouer plus que jamais son «effet magnétique», aux risques et périls de ses convives, car à table comme en affaires, le Scorpion déteste la faiblesse et la bêtise.

Portrait type du Vin Scorpion

C'est le vin mystère.

Un vin rouge ou blanc coloré, séducteur et doté d'extraits élevés vous donne déjà une très bonne idée du Vin Scorpion. Il est concentré, peu souple, dense, intense, puissant, bref, on ne peut pas dire qu'il manque de caractère! Ce mystérieux personnage ne se livre pas de lui-même et se cache souvent derrière quelque dimension que le temps seul saura éclaircir, par une lente transformation, pour le bonifier et le rendre plus accessible.

L'image type du Vin Scorpion?

Un **Chardonnay américain ample et vieux.**

**V
i
n
s

S
c
o
r
p
i
o
n**

Vins blancs Scorpion

- PINOT BLANC 1995, F. E. TRIMBACH
  prix: 13,45 $ code: 089292   (R)   France

cépage:	PINOT BLANC
caractéristiques:	sec, frais, typé, avec de la rondeur et du caractère
personnage:	un mangeur de choucroute

- CHARDONNAY 1993, GALLO SONOMA COUNTY
  prix: 13,95 $ code: 354282   (R)   États-Unis

cépage:	CHARDONNAY
caractéristiques:	plutôt sec, frais, rond, fruité, boisé et avec beaucoup d'ampleur
personnage:	un exportateur d'ananas

- CHARDONNAY 1995 LATOUR
  prix: 16,40 $ code: 055533   (R)   France

cépage:	CHARDONNAY
caractéristiques:	réservé, puissant, déterminé, ample et avec des notes de noisette grillée
personnage:	un joueur de quilles

Vins Scorpion

(R) = Produits réguliers • (S) = Produits de spécialité

Vins blancs Scorpion (suite)

- CHARDONNAY COASTAL 1995, R. MONDAVI
  prix: 18,40 $ code: 379180   (R)   États-Unis

cépage:	CHARDONNAY
caractéristiques:	sec, intense, exotique, élégant, complexe, vivant
personnage:	un beau parleur

- CÔTES-DU-RHÔNE BLANC 1996, GUIGAL
  prix: 16,15 $ code: 290296   (R)   France

cépage:	GRENACHE BLANC, MARSANNE, ETC.
caractéristiques:	déterminé, expressif, puissant, imposant, rustique
personnage:	un fakir

- GRANDE CUVÉE CHARDONNAY 1996 LAROCHE
  prix: 14,95 $ code: 442863   (R)   France

cépage:	CHARDONNAY
caractéristiques:	sec, ample, vanillé, persuasif et avec une amertume évoquant les agrumes
personnage:	un avocat de la défense

Vins blancs mousseux Scorpion

- SAUMUR CUVÉE FLAMME BRUT,
  GRATIEN & MEYER
  prix: 19,45 $ code: 165100   (R)   France

  cépage: CHENIN
  caractéristiques: riche, bien dosé, corsé avec des
                           saveurs pleines, au goût de
                           coing et de foin coupé
  personnage: un mécène

- VOUVRAY 1995, CHÂTEAU MONTCONTOUR
  BRUT
  prix: 17,50 $ code: 430751   (R)   France

  cépage: CHENIN
  caractéristiques: peu dosé, subtil, vibrant,
                           minéral et fruité, fini net
  personnage: un percepteur d'impôts

Vins rouges Scorpion

- ERRAZURIZ 1996
  prix: 10,40 $ code: 262717   (R)   Chili

cépage:	DOMINANTE CAB.-SAUV.
caractéristiques:	sec, simple, coloré, charnu, coulant, fruité généreux et sucré
personnage:	un éleveur de taureaux

- MERLOT 1995, CANTINE MEZZA CORONA
  prix: 11,65 $ code: 465674   (R)   Italie

cépage:	MERLOT
caractéristiques:	sec, juteux, piquant, framboisé, fumé, équilibré
personnage:	un joueur de foot

- ZONNEBLOEM PINOTAGE 1994
  prix: 12,55 $ code: 345306   (R)   Afrique du Sud

cépage:	PINOTAGE
caractéristiques:	sec, rond, chaleureux, capiteux, plein, épicé
personnage:	un ventriloque

Quel vin offrir à un Scorpion?

Vous intéresserez le Scorpion avec des vins qui ont du panache, mais qui ne sont pas prétentieux, comme un solide **Coteau du Languedoc** ou un riche **Merlot américain**.

Le Sagittaire

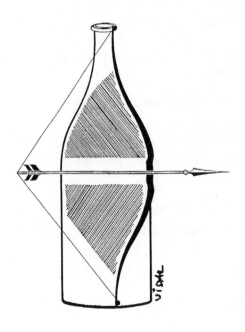

État de la nature à l'heure du Sagittaire

Le temps des longues nuits.

Le soleil s'y trouve entre le 21 novembre et le 21 décembre, période qui correspond au troisième mois de l'automne. La transformation de la nature suit son court. Sous l'humus qui enrichit et protège la terre, la fermentation dégage les éléments nécessaires à la respiration de la vie sous terre. La recomposition des organismes donne lieu à la libération des énergies qui avaient contribué à les construire et à les conserver. Le silence règne sur une vie qui semble avoir disparu. La nuit dominante continue à croître, son infinité est propice à l'observation de la voûte étoilée.

Calendrier du vigneron en décembre

Au chai, on procède généralement au second soutirage du vin. À l'extérieur, la taille de la vigne se poursuit pour la préparer au débourrement du printemps.

Dicton du vigneron en décembre

«À la Saint-Étienne pas de vent, pour le vin, c'est excellent.»

Jupiter, planète maîtresse du Sagittaire

Premier des douze grands dieux, Jupiter était le maître de l'Olympe. Il régnait dans les cieux d'où il lançait sa foudre quand il était en colère contre les hommes. Père des dieux et des hommes (le Dieu-père), Jupiter a une image symbolique d'autorité, d'idéal, d'élévation, d'expansion et de pouvoir social. Jupiter fait des chefs, des dominateurs, il apporte succès, triomphe, richesse et honneurs (à condition qu'il soit en dignité dans l'horoscope et attire la reconnaissance des autres). Jupiter incarne le principe de plaisir. Même dans les pires malheurs, il reste noble.

Péché capital de la planète Jupiter: *la gourmandise*

Type MORPHOLOGIQUE du Sagittaire

Grand, imposant, racé, il a les épaules larges, les hanches et les jambes fines (les plus belles jambes du zodiaque). Sa taille est souvent épaisse et droite, sa chevelure abondante et frisée. Il a la mâchoire large, le sourire ample et lumineux, le regard bienveillant et chaud. Tout le corps respire l'ampleur, le plaisir, la générosité.

Profil du Sagittaire

C'est le philosophe du zodiaque.

Troisième signe de Feu, neuvième signe du zodiaque. Signe masculin.

Avec lui, c'est le feu de l'esprit, du spirituel, de la conscience ouverte, de l'immense, de l'universel. Le Sagittaire est un philosophe qui ne réussit pas à intégrer ses idéaux. Il veut élargir ses horizons, mais doit intégrer la terre. Cela ne l'empêche pas de tout rassembler et de tout ramener à une plus grande dimension, car son côté spirituel domine et le suit toute sa vie. C'est un grand seigneur, orgueilleux, qui peut parfois tendre vers la vulgarité. Optimiste, énergique, généreux, dévoué, il inspire confiance, même si ses manières sont parfois un peu brusques et son ton trop direct. Son conformisme n'empêche pas l'ambition. Il aimera son quotidien quand il aura réussi son ascension sociale, car il n'aime pas être derrière... Il se donne toujours les moyens de ses entreprises. Aventurier, audacieux, curieux, il sait mettre à profit sa connaissance intuitive et son esprit de synthèse. C'est un instinctif et un chanceux, il est expansif plutôt qu'ouvert. Porté vers le collectif, il se distingue par sa grande conscience sociale. C'est d'ailleurs un bon organisateur, efficace et enthousiaste. Le Sagittaire peut être respectueux de la loi et de l'ordre établi ou carrément rebelle. Sa dualité permanente nourrit ses contradictions.

L'art de vivre du Sagittaire

C'est le type même du gastronome aventurier. Sortir ou voyager lui est vital. Enfermez-le trop longtemps à la maison et il dépérit. Notre ami Sagittaire a sans cesse besoin de se renouveler, d'apprendre, d'élargir ses horizons. Il est toujours en quête de contacts étrangers et, côté nourriture, c'est la même chose. Ses goûts sont variés, il aime tout (ou presque). Proposez-lui des mets exotiques ou une combinaison inusitée d'ingrédients, il répondra présent. Tout ce qui est nouveau, original ou différent l'attire irrésistiblement. Il adore surtout découvrir des cuisines étrangères. Les portions n'ont qu'à être généreuses, à la hauteur de son appétit! Sa gourmandise viscérale l'entraînera irrésistiblement à manger (ou boire), ce que son foie n'apprécie guère. C'est un bon vivant qui résiste très mal à l'appel des sens. Ce n'est pas pour rien que son signe est placé sous l'égide de Jupiter, planète de l'abondance et du plaisir! Il a d'ailleurs souvent une taille qui le lui rappelle.

Portrait type du Vin Sagittaire

C'est le vin plaisir.

Même s'il tend vers le rouge, le Vin Sagittaire jouit d'un bon équilibre blanc et rouge. C'est un grand seigneur qui a l'ambition de ses limites: racé, spirituel, il est large, immense, expansif, imposant, généreux et se refuse à n'être qu'un vin de second plan. Il a les tanins abondants, un alcool généreux et des saveurs concentrées, très près de la terre.

L'image type du Vin Sagittaire?

Un **Porto d'années fastes** ou un vigoureux **Cabernet de vendanges mûres**.

Vins blancs Sagittaire

- RIESLING «HUGEL» 1995
  prix: 15,95 $ code: 042101   (R)   France

cépage:	RIESLING
caractéristiques:	sec, frais, fruité pur, généreux et fort harmonieux
personnage:	un amateur de deltaplane

- BERNKASTELER DOCTOR RIESLING 1991,
  DEINHARD
  prix: 34,25 $ code: 950352   (S)   Allemagne

cépage:	RIESLING
caractéristiques:	sec, nerveux, droit, racé et profond, léger et substantiel
personnage:	un horloger suisse

- SANCERRE «LES BARONNES» 1996,
  HENRI BOURGEOIS
  prix: 19,05 $ code: 303511   (R)   France

cépage:	SAUVIGNON
caractéristiques:	bien sec, nerveux, expressif, filant sur une trame minérale et d'agrume mûr
personnage:	un génie qui s'ignore

(R) = Produits réguliers • (S) = Produits de spécialité

Vins blancs Sagittaire (suite)

- VERNACCIA DI SAN GIMINIANO 1996,
  ABBAZIA MONTE ALIVETO
  prix: 11,90 $ code: 314765   (R)   Italie

cépage:	VERNACCIA
caractéristiques:	sec, nerveux, léger, longiligne, expressif avec ses notes à la fois de fleurs blanches et d'amande
personnage:	la fée des étoiles

Vins rouges Sagittaire

- CASTELLO DI NIPOZZANO 1994,
  CHIANTI RUFINA, MARCHESI DE FRESCOBALDI
  prix: 15,65 $ code: 107276   (R)   Italie

cépage:	DOMINANTE SANGIOVESE
caractéristiques:	sec, souple, frais, de structure moyenne, il s'offre déjà avec beaucoup de rondeur veloutée, fruitée et épicée
personnage:	un relieur de livres anciens

- CAMPOFIORIN «RIPASSO» 1994, MASI
  prix: 16,95 $ code: 155051   (R)   Italie

cépage:	DOMINANTE CORVINA VERONESE
caractéristiques:	sec, souple, corsé, aux saveurs évoquant la cerise confite, le cuir et le tabac
personnage:	un cracheur de feu

- MONDAVI COASTAL 1994, NORTH COAST,
  CABERNET-SAUVIGNON, ROBERT MONDAVI
  prix: 19,95 $ code: 392225   (R)   États-Unis

cépage:	DOMINANTE CABERNET-SAUVIGNON
caractéristiques:	sec, corsé, étoffé, riche et au fruité mûr de cassis, de fumée et de bois
personnage:	un fumeur de havanes

Vins rouges Sagittaire (suite)

- CABERNET-SAUVIGNON DI TORGIANO 1993, LUNGAROTTI
  prix: 11,80 $ code: 170811   (R)   Italie

cépage:	CABERNET-SAUVIGNON
caractéristiques:	sec, souple, piquant, ouvert, classique
personnage:	un artiste de bonne famille

- CHÂTEAU MEYNEY 1994, SAINT-ESTÈPHE, CORDIER
  prix: 29,40 $ code: 061937   (R)   France

cépage:	DOMINANTE CABERNET-SAUVIGNON
caractéristiques:	sec, souple, frais, avec une texture lisse et du relief, homogène, aux saveurs complexes et fermes de tabac, de cèdre, de santal et de cuir
personnage:	un moine à la prière

Portos Sagittaire 🍷

- PORTO L.B.V. 1991, TAYLOR'S, FLADEGATE & YEATMAN
  prix: 18,20 $ code: 046946   (S)   Portugal

cépage:	DOMINANTE TOURIGA NACIONAL
caractéristiques:	doux, riche, moelleux, structuré, il offre à sa façon toute l'étoffe et l'extrait fruité de son grand frère vintage
personnage:	un jouisseur impénitent

Portos Sagittaire (suite)

- LATE BOTTLED VINTAGE PORT 1991, GRAHAM
  prix: 17,40 $ code: 191239   (R)   Portugal

cépage:	DOMINANTE TOURIGA NACIONAL
caractéristiques:	Rond, sucré, vineux, épicé, mûr, bien frais, élégant
personnage:	un esthète

- FONSECA BIN 27
  prix: 16,80 $ code: 211466   (R)   Portugal

cépage:	DOMINANTE TOURIGA NACIONAL
caractéristiques:	ample, sucré, confituré, enrobé, avec du tonus
personnage:	un amateur de chocolat

☆

Quel vin offrir à un Sagittaire?

Surprendre le Sagittaire? Plus que jamais avec des vins originaux qui ont beaucoup de sève, de plénitude, d'allant, et qui expriment à merveille le terroir comme un **grand Barolo,** ou plus simplement un **Chardonnay sud-africain** ou **australien.**

Le Capricorne

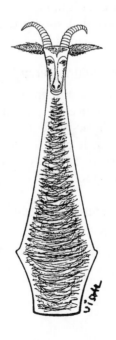

État de la nature à l'heure du Capricorne

L'heure du renouveau.

Le soleil s'y trouve entre le 21 décembre et le 21 janvier, période qui correspond au premier mois de l'hiver. C'est le solstice d'hiver. La vie s'est réfugiée dans les entrailles de la terre. C'est la terre hivernale qui amorce le processus de la lente et longue œuvre de la végétation. La nature hiberne sous la terre dépouillée et glacée pour préparer le printemps. Les nuits se font de plus en plus courtes. La lumière remporte progressivement son combat sur les ténèbres, l'espoir commence doucement à renaître.

Calendrier du vigneron en janvier

Autrefois, la taille commençait le 22 janvier, le jour de la Saint-Vincent. Aujourd'hui, elle se fait en décembre. S'il ne neige pas, la terre est souvent solidifiée par le gel. La vigne peut survivre jusqu'à environ -18 °C. C'est le repos des hommes et du vignoble.

Dicton du vigneron en janvier

«Un janvier froid et sans neige fait mal aux arbres et aux vignes.»

Saturne, planète maîtresse du Capricorne

Saturne régnait autrefois sur les dieux, avant que son fils Jupiter ne s'empare de son trône. Aussi, cette planète représente symboliquement l'âge d'or perdu (souvent en référence à l'enfance). Saturne marque de son empreinte la concentration de l'esprit, l'introversion, la timidité, la retenue excessive, certaines formes d'anxiété, la méfiance, la soumission, la mesquinerie. Au lieu de libérer et d'équilibrer (comme le fait Jupiter, l'autre pôle de son centre d'énergie), Saturne maintient en tutelle et marque ainsi le triomphe du «surmoi». Saturne restreint, ralentit, intériorise, mais structure et oriente.

Péché capital de la planète Saturne: *l'avarice*

Type morphologique du Capricorne

Grand, mince, quelquefois maigre, il a de longues extrémités osseuses; il est parfois courbé vers la terre, les épaules tombantes. Son visage est allongé, anguleux, son nez long, sa bouche grande et mince. Les yeux sont foncés et profonds, le regard sérieux. Souvent, il se dégage de lui une impression de lassitude et de tristesse.

Profil du Capricorne

C'est l'architecte du zodiaque.

Troisième signe de Terre, dixième signe du zodiaque. Signe féminin.

Avec le Capricorne, c'est le retour à la source de l'être. Il incarne la mort, l'obscurité, l'ombre, la force de la nuit.

On le nomme l'architecte du zodiaque, il pourrait en être le président. Souvent autodidacte, débrouillard, ce personnage peu souple et conservateur n'avance pas sans plan, car il lui faut savoir quelles actions entreprendre. Actif, mais réfléchi, il doit sentir avant de s'engager. Ce signe chargé d'expérience et de maturité est résistant. On le dit vieux quand il est jeune et il rajeunit en vieillissant. Son endurance croît avec les années, il fait de «vieux os». C'est un ambitieux et un besogneux, discipliné, patient, persévérant et responsable. Il est également bon diplomate. Il a une intelligence analytique, il aime tirer la quintessence des choses. Impassible, d'apparence froide, il garde ses émotions.

Il contrôle et se contrôle. Introverti, il lui arrive toutefois de sortir de sa bulle. Peut être un signe de grande solitude, de grande souffrance, de repli sur soi si sa conscience n'a pu s'ouvrir faute d'avoir intégré la base. Il veut se faire aimer.

L'art de vivre du Capricorne

Le Capricorne est aux antipodes de son voisin Sagittaire. Né sous l'influence de Saturne – planète de rétraction, de sérieux et d'ascétisme – il lui est difficile de parler de plaisir, exception faite des natifs du premier décan qui s'apparentent au Sagittaire. Pas facile de lui faire changer ses habitudes. Le Capricorne n'adoptera un resto, un menu ou un vin que s'il est pleinement satisfait. Pourquoi changerait-il? On lui reproche quelquefois sa rigidité et son sens aigu de l'économie, il ne recherche que le meilleur rapport qualité-prix. À table, le Capricorne est sage, en général. Il abhorre les excès et apprécie plutôt la qualité et l'efficacité du service. Mais lorsque tout est impeccable et qu'il se sent en confiance avec son entourage, il se décontracte et peut même se laisser aller à un humour caustique, assez surprenant chez lui.

C'est un pince-sans-rire. Il n'est pas très moderne et préfère la patine du temps; comme le bon vin, il s'accomplit et se bonifie avec le temps.

Portrait type du Vin Capricorne

C'est le vin classique.

Tout de rouge vêtu, le Vin Capricorne a une distinction naturelle. Il est solide, direct, peu souple, résistant, mature, pur, naturel. Il n'est pas du genre «accès immédiat». Plutôt discret, il est simple et ferme dans sa jeunesse, gagne en profondeur avec le temps tout en gardant sa réserve exemplaire.

L'image type du Vin Capricorne?
Un **Madiran** bien mûr et tannique.

Vins Capricorne

Vins blancs Capricorne

- CHÂTEAU CHALON 1983, HENRI MAIRE
  prix: 56,50 $ code: 706994   (S)   France

cépage:	SAVAGNIN
caractéristiques:	sec, intense, moelleux et complexe, saveurs amples où se jouent les épices, les fruits secs, la noix, sur une longue finale amère
personnage:	une diseuse de bonne aventure

- CHARDONNAY 1995, TOMIS
  prix: 7,05 $ code: 475822   (R)   Roumanie

cépage:	CHARDONNAY
caractéristiques:	saveurs rondes, pleines, herbacées, muscatées et amères
personnage:	un petit débrouillard

Champagnes Capricorne

- VEUVE CLICQUOT PONSARDIN BRUT
  prix: 46,75 $ code: 025452   (R)   France

cépage:	CHARDONNAY/ PINOT NOIR
caractéristiques:	distinction naturelle, équilibre, fruité net, classique, longue finale
personnage:	une femme juge

(R) = Produits réguliers • (S) = Produits de spécialité

Champagnes Capricorne (suite)

- BOLLINGER SPÉCIAL CUVÉE BRUT
  prix: 51,50 $ code: 384529   (S)   France

cépage:	CHARDONNAY / PINOT NOIR
caractéristiques:	plein, vineux, ample, profond, substantiel et rusé
personnage:	James Bond

Vins rouges Capricorne

- MOULIN LA GREZETTE 1996,
  CUVÉE DE PRINTEMPS, CAHORS
  prix: 13,15 $ code: 468132   (R)   France

cépage:	DOMINANTE CÔT
caractéristiques:	sec avec du mordant et un fruité bien structuré
personnage:	un trompettiste de jazz

- CHÂTEAU DE PARENCHÈRE 1995,
  BORDEAUX SUPÉRIEUR
  prix: 16,45 $ code: 151985   (R)   France

cépage:	DOMINANTE CABERNET-SAUVIGNON
caractéristiques:	sec, corsé, dense, au fruité immense, bien bâti, de longue garde
personnage:	un chercheur de trésor

- DOMAINE DE L'HORTUS 1995
  prix: 14,75 $ code: 427518   (R)   France

cépage:	DOMINANTE GRENACHE NOIR
caractéristiques:	coloré, sec, corsé, étoffé, réservé, entier
personnage:	un franc-maçon

Vins rouges Capricorne (suite)

- DON MIGUEL TORRES CABERNET-SAUVIGNON 1993
  prix: 14,95 $ code: 036483   (R)   Espagne

cépage:	DOMINANTE CABERNET-SAUVIGNON
caractéristiques:	sec, corps moyen, vivant, étoffé, distingué, fruité et boisé
personnage:	un beau Brummell

- TANNAT DEL MUSEO 1995, CASTEL PUJOL
  prix: 12,75 $ code: 439331   (R)   Uruguay

cépage:	TANNAT
caractéristiques:	sec, souple, frais, étoffé, velouté, fruité sur une finale ample qui évoque le tabac frais
personnage:	un moine confesseur

☆

Quel vin offrir à un Capricorne?

Ne proposez pas au Capricorne des vins «tape-à-l'œil» qui le déstabiliseront, mais plutôt des valeurs sûres du terroir et sans arrière-goût technologique comme une **Côte Chalonnaise**, un **Picpoul de Pinet** ou bien encore un **Merlot** ou un **Cabernet chilien**.

Le Verseau

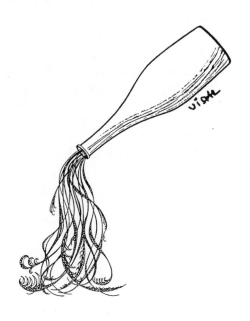

État de la nature à l'heure du Verseau

Le temps de la purification.

Le soleil s'y trouve entre le 21 janvier et le 21 février, période qui correspond au deuxième mois de l'hiver. La terre se purifie pour accueillir une vie nouvelle. Les gelées gercent la terre. La lumière prend davantage le pas sur les ténèbres, et, bien que rien ne laisse encore entrevoir le réveil de la nature, on commence à pressentir l'apparition de nouvelles forces.

Calendrier du vigneron en février

Février voit la fin de la taille d'hiver et le prélèvement, ou l'achat, de boutures pour le greffage. On vérifie le matériel pour le travail du printemps.

Dicton du vigneron en février

«S'il tonne en février, point de vin tiré.»

Uranus, planète maîtresse du Verseau

Uranus est le plus ancien maître des cieux: il est à l'origine des temps. Il représente l'énergie psychique indifférenciée, une énergie «uranienne» primitive et incontrôlée, puissance jaillissante du fond de l'être qu'il projette en avant. Sans doute la *libido* de Freud. Dante l'appelait «l'Amour qui meut le Soleil et les autres étoiles». Uranus est la force brute, primitive, non captée, non dominée; il agit sans règle ni raison, sème le désordre et la folie, engendre les révolutions et contribue à l'instabilité de l'ordre, de l'état et de l'individu. Fou et tout-puissant, il déchaîne les passions et les forces élémentaires. Uranus consacre le triomphe de l'instinct.

Péché capital de la planète Uranus: *l'orgueil*

Type MORPHOLOGIQUE du Verseau

Le Verseau a une allure androgyne, on a du mal à le classifier. Il a souvent le teint pâle, les cheveux bouclés mais fins, les yeux clairs perdus dans le vague. La démarche est mal assurée. Son front, souvent large, témoigne d'une forte activité cérébrale.

Profil du Verseau

C'est l'humaniste du zodiaque.
Troisième signe d'Air, onzième signe du zodiaque. Signe masculin.

C'est l'air de la liberté retrouvée, l'air de l'esprit.

Bien souvent, le Verseau est né un siècle trop tôt. Il est précurseur par ses idées et peu de gens le saisissent vraiment. C'est un cérébral qui porte souvent une grande blessure affective. Il cherche à approfondir, à expérimenter, à inventer pour transmettre et faire évoluer les mentalités. Il a une vision humanitaire et interplanétaire. C'est un citoyen du monde, épris de liberté. Pour être satisfaisante, sa vie doit avoir un sens. C'est un marginal, un réformateur qui peut créer des modes (s'il n'est pas frustré). Il n'emprunte jamais une ligne droite, il est toujours dans la nuance. D'où son côté excentrique. Ne vous fiez pas aux apparences. C'est un être complexe qui donne l'apparence de la simplicité, tout comme il donne une impression de souplesse, mais il est coriace. Un monde de paradoxes et de contradictions. Il a une curiosité d'esprit naturelle, il aime comprendre et savoir ce qu'il sent, il a ses intuitions par «flashs». Il s'exprime facilement quand ses émotions ne sont pas concernées. Le Verseau intellectualise énormément ses émotions, jusqu'à s'en couper d'ailleurs (c'est l'Air qui ne supporte pas de contrainte). Il adore briller en société; c'est un bon public qui attire facilement tout à lui malgré une timidité et une pudeur naturelles. Le Verseau est un être doux, fidèle, généreux, indulgent et très indépendant.

L'art de vivre du Verseau

La part du plaisir a toujours sa place dans son agenda, comme celle de l'imprévu. Cet épicurien-né a rapidement compris que l'ennui est son pire ennemi, et qu'il lui faut par conséquent prendre les moyens pour y remédier, à commencer par faire des pauses-détente très régulièrement. Le Verseau typique est l'adepte de tout ce qui est nouveau, moderne, avant-gardiste. S'il vous prend l'envie d'essayer un nouveau resto, il trouvera l'idée excellente, à condition de ne pas lui demander de faire la réservation. Plus distrait que lui, c'est difficile à trouver! Ses goûts à table sont à sa mesure. Il aime découvrir, expérimenter toutes sortes de choses. Toute forme de cuisine inusitée lui plaira, de préférence pas trop compliquée ou trop riche. N'oubliez pas le chapitre des douceurs, il en raffole. Mais attention, c'est une fine gueule, il saura se montrer très critique et viser juste. Il ajoutera toujours sa touche personnelle... et son grain de sel. C'est un être raffiné, sensible, plus près de l'érotisme que de la sensualité. Il aime avant tout réunir des gens, créer une synergie et faire plaisir pour faire plaisir. Laissez-vous faire!

Portrait type du Vin Verseau

C'est le vin dandy.

Le blanc est la couleur du Vin Verseau. Sous une apparence de simplicité, le Vin Verseau est complexe, original, paradoxal. En plus d'éblouir et parfois même de choquer par tant d'excentricité, il est sec, doux, généreux et brillant. Le Vin Verseau peut toutefois dissimuler un registre plus secret qui mérite que les plus patients d'entre vous s'y attardent.

L'image type du Vin Verseau?
Un **Hermitage blanc** ou **rouge**.

Vins blancs Verseau

- ALIGOTÉ BOUZERON 1995, BOUCHARD P & F
  prix: 15,20 $ code: 464594   (R)   France

  cépage: ALIGOTÉ
  caractéristiques: sec, nerveux, affirmé, original, minéral et fruité
  personnage: un intrépide fou

- KOUROS 1996, PATRAS, D. KOURTAKIS
  prix: 9,45 $ code: 144584   (R)   Grèce

  cépage: ASSYRTIKO
  caractéristiques: sec, nerveux, léger, discret, longiligne, original, avec une pointe d'amertume sur la finale
  personnage: un jeune éphèbe

- SEREGO ALIGHIERI GARGANEGA 1995, MASI
  prix: 12,95 $ code: 409862   (R)   Italie

  cépage: GARGANEGA / SAUVIGNON BLANC
  caractéristiques: sec, nerveux, fin et élancé, goût de pomme et d'agrume sur une finale nette
  personnage: une styliste de mode

(R) = Produits réguliers • (S) = Produits de spécialité

Vins blancs Verseau (suite)

* VERDICCHIO DEI CASTELLI DI JESI CLASSICO
  1996, FAZI BATTAGLIA
  prix: 11,70 $ code: 024422   (R)   Italie

cépage:	VERDICCHIO
caractéristiques:	sec, nerveux, léger, original, droit, franc
personnage:	une dentellière

Vin rosé Verseau

* CHÂTEAU BELLEVUE LA FORÊT 1996
  prix: 12,05 $ code: 219840   (R)   France

cépage:	DOMINANTE NÉGRETTE
caractéristiques:	sec, léger, aromatique, complexe, élégant
personnage:	un parfumeur

Xérès Verseau

* FINO TIO PEPE, GONZALEZ BYASS
  prix: 17,35 $ code: 242669   (S)   Espagne

cépage:	PALOMINO
caractéristiques:	très sec, mordant et vif, avec une présence insistante et aérienne d'olive verte et de noix fraîche, très long en bouche
personnage:	un tailleur de diamant

Xérès Verseau (suite)

- MANZANILLA «LA GUITA»,
RAINERA PEREZ MARIN
prix: 15,70 $ code: 313635   (S)   Espagne

cépage:	PALOMINO
caractéristiques:	très sec, avec du tonus et des saveurs pénétrantes, complexes et fines de noisette, de camomille et de fruits secs
personnage:	une séductrice déterminée

Vins rouges Verseau

- CHIROUBLES 1995, DUBŒUF
  prix: 16,75 $ code: 113399   (R)   France

cépage:	GAMAY
caractéristiques:	sec, généreux, coulant, charnu, animé, charmeur
personnage:	un vendeur de voitures neuves

- NOVUM 1994, SICHEL
  prix: 11,35 $ code: 945816   (S)   Allemagne

cépage:	DORNFELDER
caractéristiques:	sec, léger, élégant, épicé, coulant, intrigant
personnage:	un commissaire-priseur

☆

Quel vin offrir à un Verseau?

Vous pourrez intéresser le Verseau en lui faisant déguster à l'aveugle tous les parfums ou saveurs qui sortent des sentiers battus, comme de grands **Condrieu**, d'intrigants **Aglianicos** du Sud de l'Italie ou de vieux **Vouvray secs** ou **moelleux**.

Le Poissons

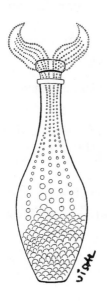

État de la nature à l'heure du Poissons

Le temps des tempêtes.

Le soleil s'y trouve entre le 21 février et le 21 mars, période qui correspond au troisième mois de l'hiver, veille de l'équinoxe du printemps. C'est la fin de l'hiver, la fin du cycle astrologique. La fonte des neiges, les crues, les giboulées et les averses lavent, ramollissent et pénètrent la terre. Sous les rayons de plus en plus chauds du soleil, la terre redevient un milieu humide qui permet aux semences qui ont survécu à l'hiver d'entamer leur germination. Le jour croît encore pour rattraper progressivement la nuit.

Calendrier du vigneron en mars

Vers le 15 mars, la vigne s'éveille, la sève monte, les bourgeons perdent leur pellicule brune. La terre reçoit son premier labour profond pour s'aérer. Le vigneron découvre la base des ceps.

Dicton du vigneron en mars

«Mars sec et beau, remplit la cave et le tonneau.»

Neptune, planète maîtresse du Poissons

Dieu des mers et des eaux, Neptune régnait aussi sur les chevaux et ses cavaliers. Le dieu de la mer est le maître de l'inconscient, particulièrement l'inconscient collectif. Il est à l'origine des instincts divers, lignes de force de son action. Neptune reste soumis à son frère Jupiter, l'inconscient restant sous la loi de la conscience, en évolution vers la supraconscience. Neptune représente le passé lointain, les origines de l'être et de l'humanité, les forces instinctives, les grands mouvements de l'âme, les puissances cachées de l'esprit qui se révèlent un jour, brutalement.

Péché capital de la planète Neptune: *la paresse*

Type morphologique du Poissons

Ses yeux sont magnifiques, allongés sur le côté, grands, vert-bleu, souvent embués de larmes (rêveurs, froids, indéfinissables). Le corps est souvent charnu, bien enrobé, on sent l'eau sous la peau. Il est de taille moyenne, les pieds sont souvent courts et les chevilles faibles.

Profil du Poissons

C'est le métaphysicien du zodiaque.

Troisième signe d'Eau, douzième signe du zodiaque. Signe féminin.

Ce sont les eaux libres et profondes des océans, symboles de la fluidité des formes, de l'abandon, de l'universalité, de tout ce qui unit. Le Poissons est un signe à multiples facettes, le plus complexe du zodiaque parce qu'il contient l'énergie de tous les signes qui le précèdent. C'est le signe de la fusion par excellence, mais aussi le signe qui a le plus de difficulté à trouver son identité, sa place. C'est le royaume de la métamorphose, le monde de l'extase et de la transformation. Très déroutant. Il ressent, puis il intellectualise et analyse; il fonctionne à l'intuition. Il est très sensible et réceptif dans le détachement. C'est un séducteur et un tendre. Il possède une sensualité et une richesse émotive incroyables. Tout le monde le trouve gentil, doux. Son monde imaginaire est très vaste, parfois même utopique. C'est un rêveur qui tient à ses idéaux. Il a souvent tendance à fuir la réalité et ses émotions. Le Poissons peut d'un coup «nager» très vite, comme s'il y avait un danger de se dissoudre, au risque de sombrer dans des paradis artificiels; il doit rester en contact avec la terre. Très éthéré, très naturel, il n'a pas de forme. C'est le signe de l'amour compassion, de la compréhension d'autrui. Il a besoin d'être en relation affective avec quelqu'un qui le rassure. Il est généreux, à l'écoute des autres. C'est un chanceux, il retrouve toujours son équilibre.

L'art de vivre du Poissons

Son plaisir passe d'abord par celui des autres. Ce qui compte pour lui, ce sont les sentiments et la qualité des relations. Son régime de vie au quotidien est des plus fantaisistes, et il oublie d'ailleurs certains repas. Pourtant, c'est un gourmand qui aime bien manger... et bien boire. Il sera un excellent convive qui goûtera à tout ce que vous lui présenterez. Il a un petit faible toutefois pour les cuisines exotiques qui lui permettent de voyager dans son assiette. Il a en général un goût très développé pour les alcools. Il pourra même en faire un métier. Il adore flâner, rêver, prendre la vie au ralenti. On le taxe souvent de paresseux. La vie au soleil, la douceur d'un hamac sous les palmiers des îles lui vont comme un gant. Ajoutez-y de la musique, et ce sera le paradis sur terre... ou sur mer!

Portrait du Vin Poissons

C'est le vin entier.

Le blanc habille le Vin Poissons, avec une tendance au blanc à bulles. Le Vin Poissons est déroutant et séducteur. Vin à multiples facettes, il est éthéré, charnu, doux, complexe. Il s'attire rapidement la faveur des sens, sans analyse ni explications trop poussées. Le vin parle, pique la curiosité sans pour autant que l'on s'y attarde, puis coule tout naturellement sans heurt ni réserve.

L'image type du Vin Poissons?

Un **mousseux allemand** de type **Riesling dry.**

Vins blancs Poissons

- CHARDONNAY 1995, BOURGOGNE
  ANTONIN RODET
  prix: 15 $ code: 369033   (R)   France

cépage:	CHARDONNAY
caractéristiques:	sec, frais avec de la rondeur sur des notes de pêche et de fougère
personnage:	un escrimeur

- MÂCON VILLAGE LES FLORIÈRES 1995
  prix: 14 $ code: 346049   (R)   France

cépage:	CHARDONNAY
caractéristiques:	sec, rond, fruité simple, équilibré, coulant
personnage:	un surfeur

- ORVIETO CLASSICO ABOCATO 1996,
  MARCHESE ANTINORI
  prix: 11,95 $ code: 052308   (R)   Italie

cépage:	TREBBIANO
caractéristiques:	doux, équilibré, rond, fruité, aromatique
personnage:	un pilote de planeur

(R) = Produits réguliers • (S) = Produits de spécialité

Vins blancs Poissons (suite)

- PINOT BLANC DIAMANT D'ALSACE 1995,
  PIERRE SPARR
  prix: 13,35 $ code: 134635   (R)   France

cépage:	PINOT BLANC
caractéristiques:	sec, léger, frais, substantiel, floral
personnage:	un adepte du kayak

- PINOT BLANC PFALZ 1995, DEINHARD
  prix: 9,95 $ code: 271072   (R)   Allemagne

cépage:	PINOT BLANC
caractéristiques:	plutôt sec, nerveux, léger, une certaine rondeur, simple, aromatique, au bon goût de raisin frais
personnage:	un beau poupon

Vins blancs mousseux Poissons

- BLANQUETTE DE LIMOUX, SIEUR D'ARQUES
  1990
  prix: 16,10 $ code: 094953   (R)   France

cépage:	DOMINANTE MAUZAC
caractéristiques:	peu dosé, simple et riche, effervescence nourrie et saveurs mûres de pomme et d'épices
personnage:	un joueur de tennis

Vins blancs mousseux Poissons (suite)

- DOMAINE DE FOURN 1994, BLANQUETTE DE LIMOUX, ROBERT
prix: 15,45 $ code: 220400   (R)   France

cépage:	DOMINANTE MAUZAC
caractéristiques:	à peine dosé, effervescence soutenue, fruité intense de pomme et de foin coupé
personnage:	un joueur de ping-pong

Vins rouges Poissons

- DOMAINE BOYAR MERLOT RESERVE 1994
  prix: 8,05 $ code: 421594   (R)   Bulgarie

cépage:	MERLOT
caractéristiques:	sec, simple, rond, facile, coulant, immédiat
personnage:	un randonneur

- CHÂTEAU CAP DE MERLE 1994,
  LUSSAC SAINT-ÉMILION
  prix: 14,95 $ code: 276683   (R)   France

cépage:	DOMINANTE MERLOT
caractéristiques:	sec, souple, léger, aux saveurs fondues de petits fruits noirs et de sous-bois
personnage:	un cueilleur de champignons

- CHÂTEAU JONQUEYRES 1994, BORDEAUX SUPÉRIEUR
  prix: 14,65 $ code: 411371   (R)   France

cépage:	DOMINANTE MERLOT
caractéristiques:	sec, souple, frais, de constitution moyenne, fruité velouté
personnage:	un étudiant en œnologie

- CORVO 1995, DUCA DI SALAPARUTA
  prix: 12,35 $ code: 034439   (R)   Italie

cépage:	DOMINANTE NERO D'AVOLA
caractéristiques:	sec, rond, souple, original, fruité
personnage:	un solitaire endurci

Vins rouges Poissons (suite)

- DOMAINE DE L'ÎLE MARGAUX 1995 BORDEAUX
  prix: 16,90 $ code: 043125   (R)   France

cépage:	DOMINANTE MERLOT
caractéristiques:	sec, coloré, étoffé, fruité simple, équilibré
personnage:	un premier de classe

- LAURIOL 1994 BORDEAUX CÔTES-DE-FRANCS
  prix: 13,65 $ code: 453522   (R)   France

cépage:	DOMINANTE MERLOT
caractéristiques:	sec, léger, souple, coulant, fruité simple
personnage:	un chasseur de petits gibiers

- MERLOT GRAN TARAPACA 1995
  prix: 10,45 $ code: 412809   (R)   Chili

cépage:	MERLOT
caractéristiques:	sec, charnu, poivré, fruité mur, simple, rustique
personnage:	un ramoneur

- MOUTON CADET 1995 BORDEAUX
  prix: 13,50 $ code: 000943   (R)   France

cépage:	CABERNET/MERLOT
caractéristiques:	sec, simple, léger, souple, franc, fruité
personnage:	un passe-partout

Quel vin offrir à un Poissons?

Il faudra offrir au Poissons un vin avec lequel il pourra jongler quel que soit l'angle qu'il utilisera pour l'approcher et le faire sien, comme un **grand Pinot Noir de l'Orégon** ou une **vendange tardive d'Alsace** ou **d'Allemagne**.

Annexes

La petite histoire de Dionysos, dieu du vin

Avant Dionysos*, il y avait deux mondes, le divin et l'humain, ainsi que deux races, celle des dieux et celle des hommes. Par son action merveilleuse à travers le temps, Dionysos a tenté d'introduire les hommes dans le monde des dieux et de les transformer en une race divine. La libération «dionysiaque» passerait-elle par l'extase?

Dionysos est né des entrailles de sa Terre-Mère (Sémélé), fécondée par l'éclair de son père Zeus, le dieu du ciel. Suivant les mortels conseils de sa rivale Héra, Sémélé demanda un jour à son divin amant de la recevoir dans tout son éclat. Elle en fut foudroyée tout net. Enlevé par Zeus au corps maternel consumé par la foudre, le petit dieu, qui n'était pas né, acheva sa maturation dans le gras de la cuisse de son père (la fameuse cuisse de Jupiter). C'est auprès des nymphes du mont Nysa, où son père le laissa en toute sécurité, que le jeune dieu prit son

_____
* Chez les Grecs; Bacchus chez les Romains.

nom (Zeus de Nysa). Devenu grand, il inventa l'art de tirer du vin du raisin. Il parcourut le monde pour enseigner aux hommes la culture de la vigne et leur faire connaître le divin breuvage. En Étolie, Dionysos offrit au roi Œnée le premier cep de vigne connu des mortels pour se faire pardonner son égarement avec sa femme Althée. Puis, il gagna l'Inde, dont il fit la conquête, et y répandit une civilisation raffinée. Au cours d'un voyage à Naxos, Dionysos rencontra Ariane, fille du roi de Crète Minos, et l'épousa. Ils eurent de nombreux fils dont Œnopion (le buveur de vin), futur roi de Chios, et Staphylos (la grappe), futur Argonaute. Le culte de Dionysos s'implanta dans toutes les parties du monde qu'il avait parcourues. Il donna naissance à de grandes fêtes populaires (les Dionysies) au caractère orgiaque. À Rome, dès le règne de César et jusqu'à la fin de l'empire, il joua un rôle religieux et culturel de premier plan.

La symbolique de Dionysos

Dieu de la végétation, de la vigne, du vin, des fruits, du renouveau saisonnier, de la vigueur féconde et procréatrice, Dionysos fut nommé par Plutarque le *seigneur de l'arbre*, celui qui répand la joie à profusion, symbole de l'effort de spiritualisation de la créature vivante, de la plante jusqu'à l'extase. Génie de la sève et des jeunes pousses, Dionysos reste le principe et le *maître de la fécondité animale et humaine.* Le culte de Dionysos le place comme le dieu de l'affranchissement, de la suppression des interdits et des tabous, des défoulements et de l'exubérance. Du dieu des plaisirs naturels de la vie, Dionysos devint peu à peu un dieu civilisateur, le dieu de l'inspiration. Une sorte de dieu suprême, maître du monde souterrain, dispensant à ses initiés une éternelle félicité.

Tableau des affinités naturelles par signe

Signe	a des affinités naturelles avec les éléments:	s'accorde bien avec les signes:
Bélier	Feu et Air	Lion (Feu) et Gémeaux (Air)
Taureau	Terre et Eau	Capricorne (Terre) et Cancer (Eau)
Gémeaux	Air et Feu	Verseau (Air) et Bélier/ Sagittaire (Feu)
Cancer	Eau et Terre	Scorpion (Eau) et Taureau (Terre)
Lion	Feu et Air	Bélier (Feu) et Gémeaux/ Verseau (Air)
Vierge	Terre et Eau	Capricorne (Terre) et Poissons (Eau)
Balance	Air et Feu	Verseau (Air) et Bélier (Feu)
Scorpion	Eau et Terre	Poissons (Eau) et Taureau (Terre)

Tableaux

Signe	a des affinités naturelles avec les éléments:	s'accorde bien avec les signes:
Sagittaire	Feu et Air	Lion (Feu) et Gémeaux/ Verseau (Air)
Capricorne	Terre et Eau	Taureau (Terre) et Cancer/ Poissons (Eau)
Verseau	Air et Feu	Gémeaux/ Balance (Air) et Lion/Sagittaire (Feu)
Poissons	Eau et Terre	Cancer (Eau) et Vierge/ Capricorne (Terre)

Tableau-synthèse des quatre éléments

Élément	Signes	Saison	Partie de l'ind.	Saveur	Combin. Princ. prim.	Élémentale	Tempérament
FEU	Bélier Lion Sagittaire	été	esprit	amère	chaud+sec	salamandre	sanguin
TERRE	Taureau Vierge Capricorne	automne	corps	sucrée	sec+froid	gnome	bilieux
AIR	Gémeaux Balance Verseau	printemps	mental	acide	humide + chaud	elfe	nerveux
EAU	Cancer Scorpion Poissons	hiver	âme	salé	froid + humide	ondine	lymphatique

Tableau des SÉRIES ANALOGIQUES
pour la dégustation (Jean Aubry)

SÉRIE ANIMALE
ambre • gibier, venaison, civet, fourrure, chien mouillé, musc, musqué, civette • sueur • pipi de chat • viandé, faisandé

SÉRIE BALSAMIQUE
genévrier • pin • résine, résineux, térébenthine • encens • vanille

SÉRIE BOISÉE
bois vert • vieux bois, bois d'acacia, de chêne, de cèdre, de santal, crayon, boîte à cigare • douelle, écorce, ligneux

SÉRIE ÉPICÉE
anis, aneth, badiane, fenouil • champignon de Paris, girolle, bolet, cep, truffe • cannelle, gingembre, girofle, muscade, poivre (vert ou noir) • basilic, menthe verte, menthe poivrée, thym • réglisse • ail, oignon • origan, marjolaine • lavande, garrigue • camphre • vermouth

SÉRIE EMPYREUMATIQUE
fumée, de tabac • encens • brûlé, grillé, caramel, amande grillée, pain grillé, pierre brûlée, pierre à fusil, silex, bois brûlé, poudre à canon, créosote, caoutchouc, latex • cuir frais, cuir de Russie • café torréfié, cacao, chocolat

SÉRIE FLORALE

florale • fleur d'acacia, d'amandier, d'oranger, de pommier, de pêcher, de troène, de sureau, de vigne • aubépine, églantine, chèvrefeuille, citronnelle, jacinthe, narcisse, jasmin, géranium, bruyère, genêt • magnolia • miel • pivoine, réséda, rose • camomille, tilleul, verveine • iris, violette • chrysanthème, giroflée, œillet

SÉRIE FRUITÉE

raisin sec, de Corinthe, confit, passerillé, muscaté • cerise noire, cerise sauvage, griotte, kirsch • prune, pruneau, mirabelle, noyau, amande, amande amère, pistache • baie sauvage, petit fruit, bleuet, cassis, fraise, framboise, groseille, mûre • abricot, coing, pêche, poire, pomme golden, pomme verte, melon, bergamote, citron, orange, pamplemousse • ananas, banane • figue fraîche • grenade, grenadine • noix, noisette • olive verte, olive noire

SÉRIE VÉGÉTALE

herbe, herbacé, foin coupé • feuille verte, feuille froissée, fanée, laurier-sauce, tisane, infusion, feuille morte • cresson, raifort, radis, fougère • café vert, thé, tabac • humus, poussière, sous-bois, terre, mousse d'arbre, mousseron

Glossaire de l'amateur

Tiré du livre *L'Abécédaire des vins, bières, cidres et spiritueux*, V. Dhuit et J. Aubry, Éd. Logiques.

Acide
L'une des quatre saveurs élémentaires avec le sucré, le salé et l'amer. Les principales substances acides, issues du raisin (tartrique, malique et citrique) ou de la fermentation (acétique, lactique et succinique), partagent une impression de nervosité, de mordant qui confère fraîcheur et nervosité au vin.

Arômes
Chaîne de molécules libérées dans la prime jeunesse du vin au terme de fermentations et perçue tant à l'olfaction qu'en rétrodégustation. Un vin aromatique possède souvent de la finesse et de l'expression.

Attaque
Mot à consonance par trop belligérante qu'il faudrait remplacer par «entrée de bouche» et qui

décrit la toute première impression, tout autant physique que chimique, dont le dégustateur fait l'expérience lorsqu'il porte une quantité de vin en bouche. Comme pour une relation humaine, la première impression est souvent la meilleure.

Bouchonné

Se dit d'un arôme qui n'est pas net et dont l'analogie la plus crédible évoque la senteur ou le goût de liège. Ennemi redoutable et rabat-joie de première pour les producteurs, sommeliers, commerçants et consommateurs, le fameux «goût de bouchon» est aussi imprévisible qu'une attaque de botrytis et aussi irréversible qu'une déclaration d'amour... avec le vin, bien sûr! Il serait causé, dit-on, par des moisissures qui, tellement agrippées au liège, lui feraient partager les tenaces arômes et les perfides saveurs.

Bouquet

Une fois les arômes primaires et secondaires de fruit et de fermentation libérés, se déploie, souvent de façon fort majestueuse et après un séjour prolongé en bouteille, l'inimitable bouquet tertiaire. Seuls les grands vins peuvent y prétendre.

Cépage

Sorte, variété ou espèce de raisin (*vitis vinifera, labrusca, rupestris,* etc.) utilisé pour l'élaboration du vin. On dénombre plus de 3000 cépages différents dans le monde.

Dosage

Ajout de mousseux, après le dégorgement, d'une liqueur d'expédition composée de sucres et souvent de vieux vins de réserve. L'expression «peu ou bien dosé» signifie que le mousseux est brut (jusqu'à 15 g par litre) ou demi-sec (de 33 à 50 g par litre).

Doux

Vin dont la teneur en sucre est supérieure à 45 g par litre.

Équilibré

Se dit d'un vin dont les constituants alcool/acidité/tanins s'équilibrent mutuellement. Dans ce cas, le vin est aussi harmonieux, voire homogène.

Fruité

Profil aromatique ou gustatif d'un vin ou d'un alcool dont le caractère analogique le rapproche du fruit. Mais attention, et on ne le répétera jamais assez, le fruité d'un vin n'a rien à voir avec le taux de sucre qu'il contient. Ainsi, un vin fruité peut être sec ou doux. Alors, s'il vous plaît, ne boudez plus ces vins d'Alsace généreusement fruités et vinifiés en sec (moins de 2 g de sucre par litre).

Longueur en bouche
Se dit d'un vin ou d'un alcool dont «l'esprit aromatique» demeure présent en bouche longuement après l'avoir bu. Un vin long en bouche, ou, si l'on veut, qui a de l'allonge, est un vin racé qui provient avant tout de la parfaite symbiose terroir/cépage/climat. Synonyme: persistance.

Millésime
Acte de naissance du vin. Un vin millésimé provient exclusivement de l'année de la récolte ou de la vendange.

Moelleux
Désigne à la fois un vin blanc doux dont le taux de sucre est inférieur à celui d'un liquoreux (entre 12 et 45 g de sucre par litre), mais souligne aussi l'aspect tactile, physique d'un vin. Un rouge élaboré dans une grande année peut avoir de beaux tanins moelleux, qui fondent sous le palais.

Mousseux
Désigne un vin blanc comme un vin rouge dont on a conservé ou renforcé la part de gaz carbonique. Les Champenois s'empresseront de vous dire que tous les champagnes sont des mousseux mais qu'à l'inverse, tous les mousseux ne sont pas nécessairement des champagnes. Ainsi va la vie dans le monde de la bulle!

Net
Se dit d'un vin qui ne présente aucun trait défectueux. Il est aussi droit, loyal et franc de goût.

Robe
Terme emprunté avec élégance à la garde-robe féminine pour désigner la couleur du vin.

Sec
Se dit d'un vin doté d'un très faible taux de sucre à l'inverse d'un vin doux.

Tanin
Composés phénoliques contenus dans les rafles, pellicules de baies et pépins, extraits par pressurage et macération, et qui constituent,

avec les anthocyanes, les polyphénols des vins rouges. Souvent fermes et astringents en jeunesse, les tanins se fondent éventuellement et se déposent au cours de leur évolution en bouteille.

Terroirs

Ensemble des sols et des sous-sols, de leur exposition et de leur environnement qui détermine le caractère d'un vin.

Vin

Nous y voilà! Résultat souvent hautement expressif de la fermentation de raisins blancs ou de raisins noirs, et qui procure à celles et à ceux qui en consomment le sentiment de se rapprocher des dieux tout en demeurant humains, profondément humains. Je donne ici, pour les gens plus terre à terre, la formule chimique pour y parvenir: $C_6 H_{12} O_6 = 2 CH_3 CH_2 OH + 2 CO_2$.

Bibliographie

Dictionnaire des symboles, J. Chevalier, A. Gheerbrant, Robert Laffont/Jupiter, Paris, 1982.

Encyclopédie de la divination, Tchou éditeur, Paris, 1965.

Dictionnaire illustré de la mythologie et des antiquités grecques et romaines, P. Lavedan.

Les prodigieuses victoires de la psychologie moderne, Pierre Daco, Marabout, 1980, Vervier.

L'univers astrologique des quatre éléments, André Barbault, éditions Traditionnelles.

L'astrologie, la psychologie et les 4 éléments, Stephen Arroyo, éditions du Rocher, Monaco, 1994.

Elfes, fées et gnomes, éditions Arista, Saint-Léonard de Noblat, 1989.

L'envol de l'aigle, Kenneth Meadows, éditions Ramsay, Paris, 1996.

Zodiaque et développement spirituel, Charles-Raphaël Payeur, éditions De l'Aigle, Sherbrooke.

La cosmopsychologie, Michel Gauquelin, C.E.P.L., Loos-lez-Lille, 1974.

Astrologie et graphologie, traité de graphologie planétaire, Françoise Colin, éditions Garancière, Condé-sur-Escaut, 1984.

Connaissez-vous par votre signe astral, Joëlle de Gravelaine, éditions Marabout, Saint-Amand, 1995.

L'intelligence des plantes, Robert Frederick, éditions Arista, Saint-Amand, 1990.

Sources de sagesse, Les fondements de la pensée anthroposophique, L'Herbothèque, Ham-Nord, 1995.

Le livre des cépages, Jancis Robinson, éditions Hachette, Paris, 1986.

Index

Les Éditions LOGIQUES

Les Notes de cours

LX-274	QuarkXpress 3.3 Macintosh, fonctions intermédiaires
LX-161	Système 7 Macintosh, fonctions de base
LX-363	Windows 95, fonctions de base
LX-635	Windows 95 et Windows NT, fonctions de base
LX-173	Windows 3.1, fonctions de base
LX-509	Word 7.0 Windows 95, fonctions de base
LX-394	Word 7.0 Windows 95, fonctions intermédiaires
LX-457	Word 7.0 Windows 95, fonctions avancées
LX-499	Word 6.0 Windows, fonctions de base
LX-242	Word 6.0 Windows, fonctions intermédiaires
LX-159	Word 2.0 Windows, fonctions de base
LX-160	Word 2.0 Windows, fonctions intermédiaires
LX-197	Word 5.1 Macintosh, fonctions de base
LX-198	Word 5.1 Macintosh, fonctions intermédiaires
LX-637	WordPerfect 7 pour Windows 95, fonctions de base
LX-516	WordPerfect 6.1 Windows, fonctions de base
LX-335	WordPerfect 6.1 Windows, fonctions intermédiaires
LX-241	WordPerfect 6.0 Windows, fonctions de base
LX-256	WordPerfect 6.0 Windows, fonctions intermédiaires
LX-116	WordPerfect 5.0 Windows, fonctions de base
LX-117	WordPerfect 5.0 Windows, fonctions intermédiaires
LX-215	WordPerfect 6.0 DOS, fonctions de base
LX-236	WordPerfect 6.0 DOS, fonctions intermédiaires
LX-145	WordPerfect 5.1 DOS, fonctions de base
LX-146	WordPerfect 5.1 DOS, fonctions intermédiaires
LX-151	WordPerfect 5.1 DOS, fonctions avancées

La Nouvelle Vague

LX-408	Amipro Windows 3.0
LX-415	CorelDraw Windows
LX-419	Excel 7.0 pour Windows 95
LX-412	Excel 5.0 pour Windows
LX-416	Internet
LX-404	Lotus 1-2-3, 4.0 pour Windows
LX-418	Microsoft Word 7.0 pour Windows 95
LX-409	MS-Works 3.0 pour Windows
LX-402	Quattro Pro 5.0 sur Windows
LX-410	Quicken version 7 pour Windows
LX-405	TOP 10 DOS
LX-407	TOP 10 Macintosh
LX-417	Windows 95
LX-400	Word 6.0 pour Windows
LX-403	WordPerfect 6.0 pour Windows

TTÉRATURE GÉNÉRALE

anté

sychologie

éalisation

usiness

laisirs

Guides pratiques

La parole et l'esprit

Humour

Bandes dessinées

SOCIÉTÉ – ÉDUCATION – LIVRES DE RÉFÉRENCE

Éducation / Administration et éducation

Éducation / Théories et pratiques dans l'enseignement

Éducation / Théories et pratiques dans l'enseignement / Pédagogie universitaire

Éducation / Théories et pratiques dans l'enseignement / Pratiques pédagogiques

Cahiers *Questionner*

Cahiers pratiques de *Québec français*

ENFANTS – FICTION – ROMANS

Arts du cirque

LX-613   Jongler avec des balles
LX-475   Jongler avec des balles au sol
LX-511   Jongler avec des quilles
LX-556   Jongler avec le diablo
LX-510   Jongler avec les bâtons du diable
LX-512   Le mime

Bricolage

LX-486   La ferme laitière
LX-500   Les vacances
LX-551   La vie de château

Enfants

LX-014   Zoé à la garderie
LX-571   Zoé à l'hôpital
LX-079   Zoé en automobile

Science-fiction

LX-158   L'année de la S.F. et du fantastique 1990
LX-247   L'année de la S.F. et du fantastique 1991
LX-018   Berlin-Bangkok
LX-017   C.I.N.Q.
LX-045   Demain l'avenir
LX-007   Dérives 5
LX-055   Étrangers!
LX-011   Les gélules utopiques
LX-039   Les maisons de cristal
LX-010   S.F.: 10 années de science-fiction québécoise
LX-059   Sol
LX-032   La ville oasis
LX-019   Vivre en beauté

Romans, nouvelles et récits

LX-604   Adèle et Amélie
LX-231   Les bouquets de noces
LX-246   Femme… enfin!
LX-217   Les Frincekanoks
LX-070   Histoires cruelles et lamentables
LX-514   Marie Mousseau 1937-1957
LX-354   Noëls, autos et cantiques
LX-126   Les parapluies du Diable
LX-383   Un purgatoire

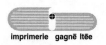

imprimerie gagné ltēe